영재교육원 영재학급 관찰추천제 대비

5일 완성 프로젝트

파이널

해결력

수학 50제

중등

1~2 학년

매스티안

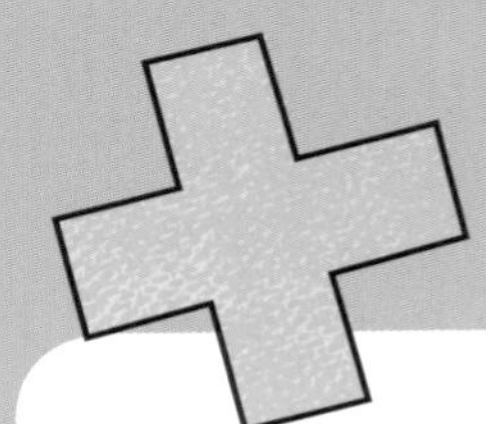

구성과 특징

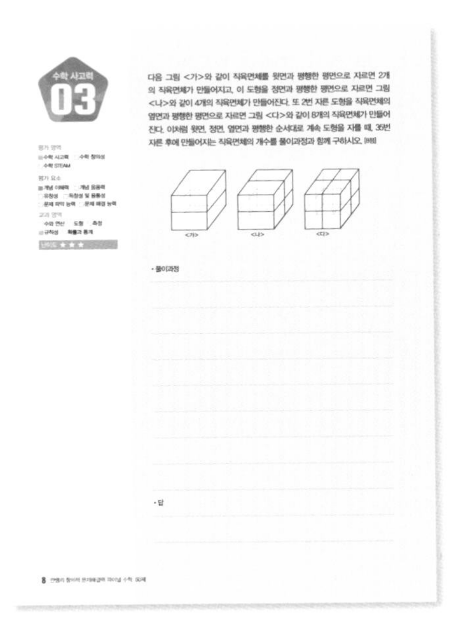

수학 사고력

영재성검사, 창의적 문제해결력 검사 및 평가, 창의탐구력 검사에 출제되는 문제 유형입니다. 개념 이해력을 평가할 수 있는 교과 개념과 관련된 사고력 문제 유형과, 개념 응용력을 평가할 수 있는 창의사고력과 관련된 심화사고력 문제 유형으로 구성하였습니다.

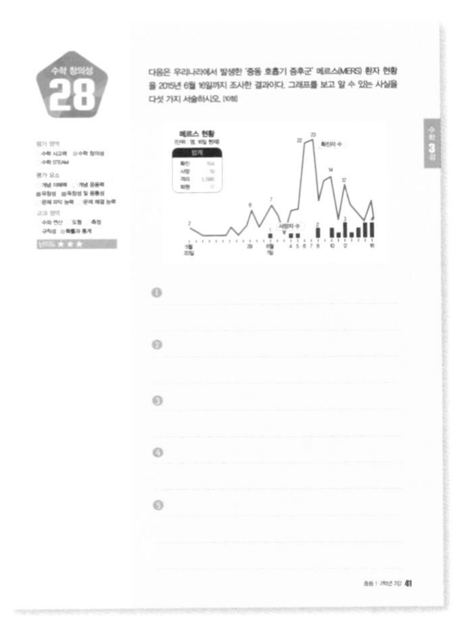

수학 창의성

영재성검사, 창의적 문제해결력 검사 및 평가에 출제되는 문제 유형입니다. 창의성 평가 요소 중 유창성과 독창성 및 융통성을 평가할 수 있는 창의성 문제 유형으로 구성하였습니다. 유창성은 원활하고 민첩하게 사고하여 많은 양의 산출 결과를 내는 능력으로, 어떤 문제의 유효한 아이디어를 제한된 시간 내에 많이 쏟아내야 합니다. 독창성은 새롭고 독특한 아이디어를 산출해 내는 능력으로, 유창성 점수를 받은 유효한 아이디어 중 같은 학년의 학생들이 생각할 수 있는 아이디어가 아닌 특이하고 새로운 방식의 아이디어인 경우 추가로 점수를 받을 수 있습니다. 융통성은 생성해 낸 아이디어의 범주의 수를 의미하며, 다양한 각도에서 생각해야 합니다.

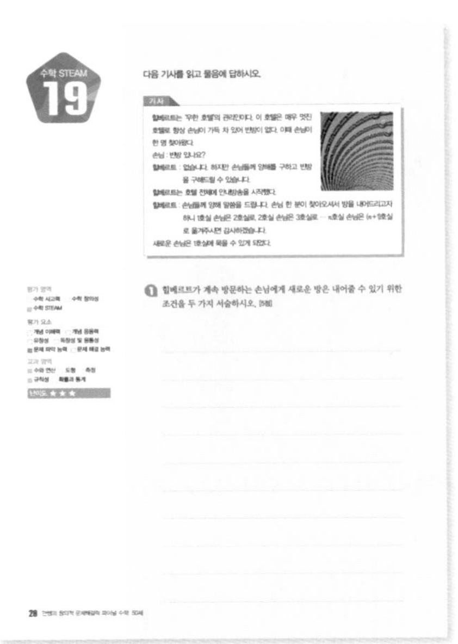

수학 STEAM

창의적 문제해결력 검사 및 평가, 창의탐구력 검사에 출제되는 신유형의 융합사고력 문제입니다. 융합사고력 문제는 단계적 문제 유형으로, 첫 번째 문제로 문제 파악 능력을 평가하고, 두 번째 문제로 파악한 문제의 해결 능력을 평가할 수 있는 유형으로 구성하였습니다.

채점표

강별 배점이 100점이 되도록 문항별 점수와 평가 영역별 점수를 구성하였습니다. 수학 사고력 문항은 개념 이해력과 개념 응용력을, 수학 창의성은 유창성과 독창성 및 융통성을, 수학 STEAM은 문제 파악 능력과 문제 해결 능력을 평가 영역으로 구성하였습니다. 또한 채점 결과에 따른 문제 유형별 공부 방법을 제시하였습니다.

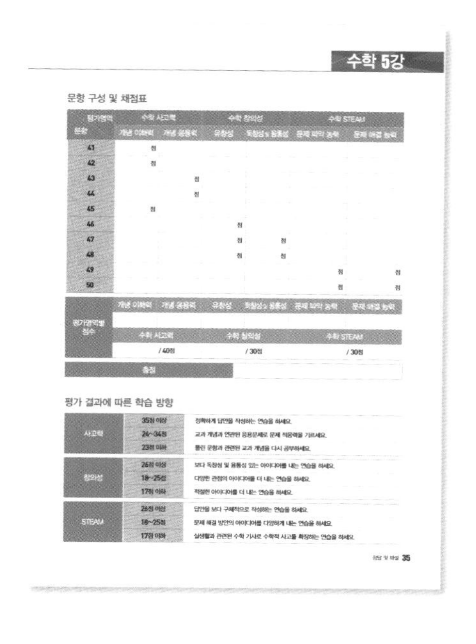

수학 5강

문항 구성 및 채점표

평가영역	수학 사고력		수학 창의성		수학 STEAM	
문항	개념 이해력	개념 응용력	유창성	독창성 & 융통성	문제 파악 능력	문제 해결 능력
41	점					
42	점					
43		점				
44		점				
45	점					
46			점			
47			점	점		
48			점	점		
49					점	점
50					점	점
평가영역별 점수	개념 이해력	개념 응용력	유창성	독창성 & 융통성	문제 파악 능력	문제 해결 능력
	수학 사고력		수학 창의성		수학 STEAM	
	/ 40점		/ 30점		/ 30점	
총점						

평가 결과에 따른 학습 방향

사고력	35점 이상	정확하게 답안을 작성하는 연습을 하세요.
	24~34점	교과 개념과 연관된 응용문제로 문제 적용력을 기르세요.
	23점 이하	틀린 문항과 관련된 교과 개념을 다시 공부하세요.
창의성	26점 이상	보다 독창성 및 융통성 있는 아이디어를 내는 연습을 하세요.
	18~25점	다양한 관점의 아이디어를 더 내는 연습을 하세요.
	17점 이하	적절한 아이디어를 더 내는 연습을 하세요.
STEAM	26점 이상	답안을 보다 구체적으로 작성하는 연습을 하세요.
	18~25점	문제 해결 방안의 아이디어를 다양하게 내는 연습을 하세요.
	17점 이하	실생활과 관련된 수학 기사로 수학적 사고를 확장하는 연습을 하세요.

정답 및 해설 35

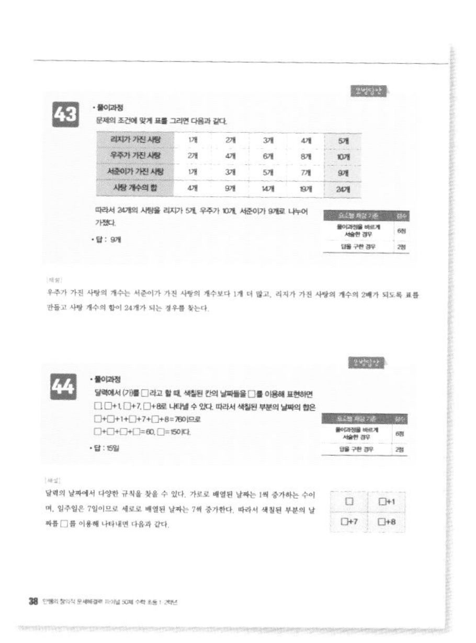

43
• 풀이과정
문제의 조건에 맞게 표를 그리면 다음과 같다.

리지가 가진 사탕	1개	2개	3개	4개	5개
우주가 가진 사탕	2개	4개	6개	8개	10개
서준이가 가진 사탕	1개	3개	5개	7개	9개
사탕 개수의 합	4개	9개	14개	19개	24개

따라서 24개의 사탕을 리지가 5개, 우주가 10개, 서준이가 9개로 나누어 가졌다.
• 답 : 9개

요소별 채점 기준	점수
풀이과정을 바르게 서술한 경우	6점
답을 구한 경우	2점

[해설]
우주가 가진 사탕의 개수는 서준이가 가진 사탕의 개수보다 1개 더 많고, 리지가 가진 사탕의 개수의 2배가 되도록 표를 만들고 사탕 개수의 합이 24개가 되는 경우를 찾는다.

44
• 풀이과정
달력에서 (가)를 □라고 할 때, 색칠된 칸의 날짜들을 □를 이용해 표현하면
□, □+1, □+7, □+8로 나타낼 수 있다. 따라서 색칠된 부분의 날짜의 합은
□+□+1+□+7+□+8=76이므로
□+□+□+□=60, □=15이다.
• 답 : 15일

요소별 채점 기준	점수
풀이과정을 바르게 서술한 경우	6점
답을 구한 경우	2점

[해설]
달력의 날짜에서 다양한 규칙을 찾을 수 있다. 가로로 배열된 날짜는 1씩 증가하는 수이며, 일주일은 7일이므로 세로로 배열된 날짜는 7씩 증가한다. 따라서 색칠된 부분의 날짜를 □를 이용해 나타내면 다음과 같다.

□	□+1
□+7	□+8

38 안쌤의 창의적 문제해결력 파이널 50제 수학 초등 1·2학년

서술형 채점 기준

영재성검사, 창의적 문제해결력 검사 및 평가, 창의탐구력 검사에 출제되는 문제는 모두 서술형입니다. 부분 점수가 없는 객관식과 달리 서술형은 문제에서 요구하는 평가 요소들을 모두 넣어서 답안을 작성했는지에 따라 점수가 달라집니다. 자신의 답안을 채점 기준에 맞게 채점해 보면 서술형 답안 작성 방법을 연습할 수 있습니다.

50제 시리즈로 대비할 수 있는
수학 대회 안내
✓ 영재교육 대상자 선발 – 교육청 주최
✓ 기출문제 및 예시문제

부록 50제 시리즈로 대비할 수 있는 수학 대회 안내

다양한 수학 대회들 중 어떻게 대회를 준비해야 하는지 고민하시는 분들을 위해 50제 시리즈로 대비할 수 있는 수학 대회를 정리했습니다. 이 대회들은 영재교육원 문제 유형과 유사해서 미리 영재교육원 입시를 경험할 수 있고 실력을 체크할 수 있습니다. 각 대회의 기출문제와 영재교육원 각 단계별 기출문제를 같이 수록했습니다.

목차

안쌤의 창의적 문제해결력

파이널 50제 수학1

중등 1·2 학년

평가 영역

■ 수학 사고력 □ 수학 창의성
□ 수학 STEAM

평가 요소

■ 개념 이해력 □ 개념 응용력
□ 유창성 □ 독창성 및 융통성
□ 문제 파악 능력 □ 문제 해결 능력

교과 영역

□ 수와 연산 □ 도형 ■ 측정
□ 규칙성 □ 확률과 통계

난이도 ★ ★ ☆

11시와 11시 30분 사이의 시각을 가리키는 시계가 있다. 지금부터 정확히 4분 후의 분침과 8분 전의 시침이 이루는 각이 직각일 때, 지금의 시각을 풀이과정과 함께 구하시오. [8점]

• 풀이과정

• 답

평가 영역

- ■ 수학 사고력 □ 수학 창의성
- □ 수학 STEAM

평가 요소

- ■ 개념 이해력 □ 개념 응용력
- □ 유창성 □ 독창성 및 융통성
- □ 문제 파악 능력 □ 문제 해결 능력

교과 영역

- □ 수와 연산 □ 도형 ■ 측정
- □ 규칙성 □ 확률과 통계

난이도 ★★★

한 변의 길이가 60 m인 정육각형 모양의 인공 호수 주위를 경수, 연주, 다희 세 사람이 같은 거리(호숫가를 따라 잰 거리)를 유지하면서 산책을 하고 있다. 경수, 연주, 다희 세 사람이 위치한 점을 꼭짓점으로 하는 삼각형 중에서 넓이가 가장 작은 삼각형의 한 변의 길이는 몇 m인지 풀이과정과 함께 구하시오. [8점]

• 풀이과정

• 답

평가 영역

■ 수학 사고력 □ 수학 창의성
□ 수학 STEAM

평가 요소

■ 개념 이해력 □ 개념 응용력
□ 유창성 □ 독창성 및 융통성
□ 문제 파악 능력 □ 문제 해결 능력

교과 영역

□ 수와 연산 □ 도형 □ 측정
■ 규칙성 □ 확률과 통계

난이도 ★★★

다음 그림 <가>와 같이 직육면체를 윗면과 평행한 평면으로 자르면 2개의 직육면체가 만들어지고, 이 도형을 정면과 평행한 평면으로 자르면 그림 <나>와 같이 4개의 직육면체가 만들어진다. 또 2번 자른 도형을 직육면체의 옆면과 평행한 평면으로 자르면 그림 <다>와 같이 8개의 직육면체가 만들어진다. 이처럼 윗면, 정면, 옆면과 평행한 순서대로 계속 도형을 자를 때, 35번 자른 후에 만들어지는 직육면체의 개수를 풀이과정과 함께 구하시오. [8점]

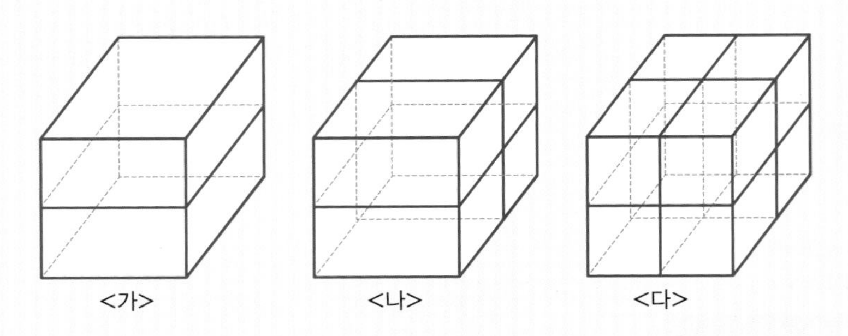

• 풀이과정

• 답

$a<b<c<d$를 만족하는 네 유리수 a, b, c, d에 대하여 $a\times c<0$, $b\times d<0$일 때, $\frac{1}{a}$, $\frac{1}{b}$, $\frac{1}{c}$, $\frac{1}{d}$을 크기가 작은 것부터 나열하고 풀이과정을 서술하시오. [8점]

• 풀이과정

• 답

평가 영역

■ 수학 사고력 □ 수학 창의성
□ 수학 STEAM

평가 요소

□ 개념 이해력 ■ 개념 응용력
□ 유창성 □ 독창성 및 융통성
□ 문제 파악 능력 □ 문제 해결 능력

교과 영역

■ 수와 연산 □ 도형 □ 측정
□ 규칙성 □ 확률과 통계

난이도 ★ ☆ ☆

평가 영역

■ 수학 사고력 □ 수학 창의성
□ 수학 STEAM

평가 요소

□ 개념 이해력 ■ 개념 응용력
□ 유창성 □ 독창성 및 융통성
□ 문제 파악 능력 □ 문제 해결 능력

교과 영역

■ 수와 연산 □ 도형 □ 측정
□ 규칙성 □ 확률과 통계

난이도 ★★★

다음 계산에서 각 문자는 1에서 9까지의 서로 다른 숫자를 나타낸다.
G+A+M+E+S의 값을 풀이과정과 함께 구하시오. (단, M=9, S=8이다.)
[8점]

```
      B A S E
+     B A L L
-------------
    G A M E S
```

• 풀이과정

• 답

정사각형 모양의 종이를 잘라 나누어지는 조각의 개수를 알아보려고 한다. 다음은 2개의 선분을 이용해 4개의 조각으로 종이를 나눈 것이다. 이처럼 4개의 선분을 이용해 나누어지는 조각의 개수를 모두 나타내시오. [10점]

평가 영역
□ 수학 사고력 ■ 수학 창의성
□ 수학 STEAM

평가 요소
□ 개념 이해력 □ 개념 응용력
■ 유창성 □ 독창성 및 융통성
□ 문제 파악 능력 □ 문제 해결 능력

교과 영역
□ 수와 연산 ■ 도형 □ 측정
□ 규칙성 □ 확률과 통계

난이도 ★★☆

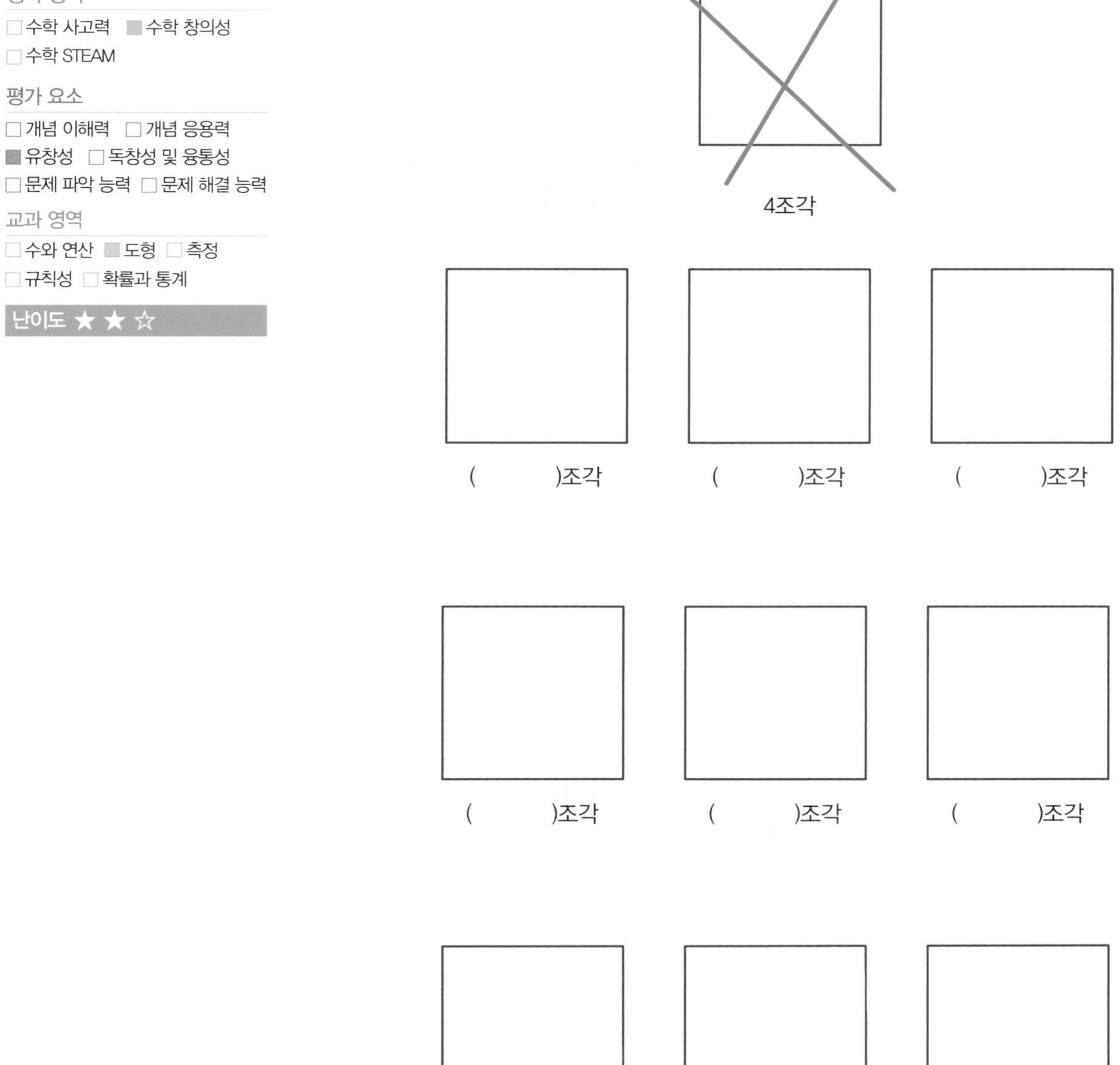

평가 영역

□ 수학 사고력 ■ 수학 창의성
□ 수학 STEAM

평가 요소

□ 개념 이해력 □ 개념 응용력
■ 유창성 □ 독창성 및 융통성
□ 문제 파악 능력 □ 문제 해결 능력

교과 영역

□ 수와 연산 □ 도형 □ 측정
□ 규칙성 ■ 확률과 통계

난이도 ★★★

다음과 같이 4개의 섬이 있다. 3개의 다리를 연결하여 4개의 섬 모두를 연결하는 방법을 모두 구하시오. [10점]

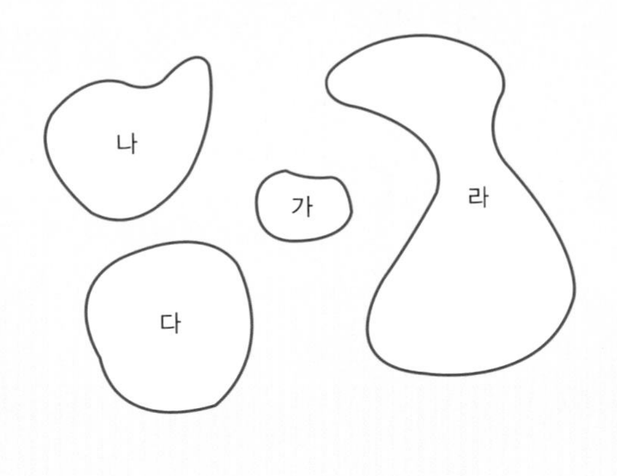

평가 영역

☐ 수학 사고력 ■ 수학 창의성
☐ 수학 STEAM

평가 요소

☐ 개념 이해력 ☐ 개념 응용력
■ 유창성 ■ 독창성 및 융통성
☐ 문제 파악 능력 ☐ 문제 해결 능력

교과 영역

☐ 수와 연산 ■ 도형 ☐ 측정
☐ 규칙성 ☐ 확률과 통계

난이도 ★ ★ ★

다음은 준호네 욕실의 모습이다. 사진을 보고 욕실에서 찾을 수 있는 수학적 원리를 열 가지 서술하시오. [10점]

1

2

3

4

5

6

7

8

9

10

다음 기사를 읽고 물음에 답하시오.

기사

나팔꽃은 인도가 원산지인 한해살이 덩굴식물이다. 줄기에는 아래쪽을 향한 털들이 빽빽하게 길게 나 있고, 잎은 어긋나고 긴 잎자루를 가지며 둥근 심장 모양이다. 나팔꽃이 다른 꽃들과 다른 점은 주로 아침에 활짝 피고 낮에 오므라든다는 것이다. 나팔꽃은 보통 해가 지고 난 후 10시간 정도가 지나면 다시 꽃이 핀다. 나팔꽃의 이런 특징 때문에 아침의 영광이라는 뜻의 모닝 글로리(morning glory)라고 불린다.

평가 영역
□ 수학 사고력 □ 수학 창의성
■ 수학 STEAM

평가 요소
□ 개념 이해력 □ 개념 응용력
□ 유창성 □ 독창성 및 융통성
■ 문제 파악 능력 □ 문제 해결 능력

교과 영역
□ 수와 연산 ■ 도형 ■ 측정
□ 규칙성 □ 확률과 통계

난이도 ★★☆

1 나팔꽃은 곁에 다른 식물의 줄기나 원기둥 모양의 물체가 있으면 다음과 같이 그 물체를 휘감아 올라가는 성질이 있다. A에서 B까지 나팔꽃이 기둥을 휘감은 모습을 다음 전개도에 나타내고, 나팔꽃이 기둥을 휘감아 오르며 자라는 이유를 생존 본능과 관련지어 서술하시오. [5점]

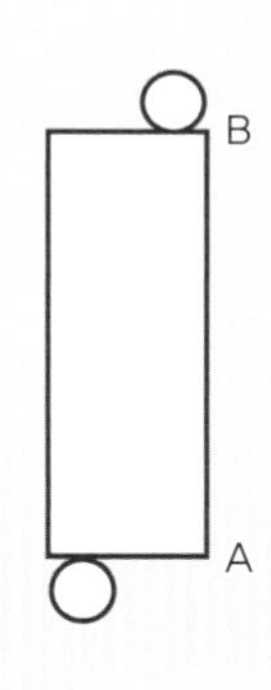

평가 영역

□ 수학 사고력 □ 수학 창의성
■ 수학 STEAM

평가 요소

□ 개념 이해력 □ 개념 응용력
□ 유창성 □ 독창성 및 융통성
□ 문제 파악 능력 ■ 문제 해결 능력

교과 영역

□ 수와 연산 ■ 도형 ■ 측정
□ 규칙성 □ 확률과 통계

난이도 ★★★

2 우리 주변에서 찾을 수 있는 나선형 구조를 다섯 가지 쓰고, 나선형 구조가 사용된 이유를 각각 서술하시오. [10점]

1

2

3

4

5

다음 기사를 읽고 물음에 답하시오.

기사

대부분 사람들은 자신의 의사를 결정할 때 통계 자료를 근거로 판단하는 경우가 많다. 이 때문에 객관적이고 정확한 통계 자료는 의사 결정에 매우 중요한 역할을 한다.
만약 통계 자료가 객관적이지 않거나 교묘하게 왜곡되어 있다면 어떤 일이 일어날까? 자료를 정리한 표와 그래프는 사회나 경제 동향, 여론조사 등 방대한 데이터를 기록하는 데 유용한 수단임은 분명하지만, 이를 정확하게 파악하고 내용을 이해하지 못한다면 자료 제공자의 의도대로 잘못된 판단을 할 가능성이 커진다.

평가 영역
□ 수학 사고력 □ 수학 창의성
■ 수학 STEAM

평가 요소
□ 개념 이해력 □ 개념 응용력
□ 유창성 □ 독창성 및 융통성
■ 문제 파악 능력 □ 문제 해결 능력

교과 영역
■ 수와 연산 □ 도형 □ 측정
□ 규칙성 ■ 확률과 통계

난이도 ★★★

1 다음 표는 어느 야구단의 홈 경기의 전년 대비 관중 증가율을 나타낸 것이다. 더 정확하다고 생각되는 자료를 고르고, 그 이유를 서술하시오. [5점]

구분	2011년	2012년	2013년	2014년
관중 수(명)	224459	244302	316215	412542
증가율(%)		8.84	29.44	30.46

자료 〈가〉

구분	2011년	2012년	2013년	2014년
관중 수(명)	220000	240000	320000	410000
증가율(%)		9	33	28

자료 <나>

평가 영역
- □ 수학 사고력 □ 수학 창의성
- ■ 수학 STEAM

평가 요소
- □ 개념 이해력 □ 개념 응용력
- □ 유창성 □ 독창성 및 융통성
- □ 문제 파악 능력 ■ 문제 해결 능력

교과 영역
- □ 수와 연산 □ 도형 ■ 측정
- □ 규칙성 ■ 확률과 통계

난이도 ★★★

2 다음 글의 청년이 제시하였을 것으로 예상되는 수학적 근거를 세 가지 서술하시오. [10점]

> 1898년 미국과 스페인 전쟁 동안 미 해군은 전쟁에 참여 중인 군인들의 사망률이 천 명당 9명으로 낮은 비율을 나타내고 있다는 사실을 근거로, 천 명당 16명이라는 당시 뉴욕시의 사망률과 비교하며 입대를 장려했다. 이러한 내용을 접한 1898년 당시 뉴욕에 살고 있는 한 청년은 수학적인 근거를 들어 절대 해군에 입대하지 않을 것이라고 이야기했다.

①

②

③

안쌤의 창의적 문제해결력
파이널 수학 50제
1강

안쌤의 창의적 문제해결력

파이널 50제 수학 2

중등 1·2 학년

평가 영역

■ 수학 사고력 □ 수학 창의성
□ 수학 STEAM

평가 요소

■ 개념 이해력 □ 개념 응용력
□ 유창성 □ 독창성 및 융통성
□ 문제 파악 능력 □ 문제 해결 능력

교과 영역

■ 수와 연산 □ 도형 □ 측정
□ 규칙성 □ 확률과 통계

난이도 ★ ★ ☆

100보다 작은 연속하는 세 자연수를 뽑아서 그 값을 모두 더했더니 17의 배수가 되었다. 이 조건을 만족하는 세 자연수의 쌍을 풀이과정과 함께 모두 구하시오. [8점]

• 풀이과정

• 답

평가 영역

■ 수학 사고력 □ 수학 창의성
□ 수학 STEAM

평가 요소

■ 개념 이해력 □ 개념 응용력
□ 유창성 □ 독창성 및 융통성
□ 문제 파악 능력 □ 문제 해결 능력

교과 영역

□ 수와 연산 □ 도형 ■ 측정
□ 규칙성 □ 확률과 통계

난이도 ★★☆

한 변의 길이가 8 cm인 정사각형 모양의 종이가 있다. $\overline{BC}$, $\overline{CD}$의 중점을 각각 E, F라고 할 때 $\overline{AE}$, $\overline{EF}$, $\overline{FA}$를 접어서 B, C, D가 한 점에 모이는 입체도형을 만들었다. 이 입체도형의 부피를 풀이과정과 함께 구하시오. [8점]

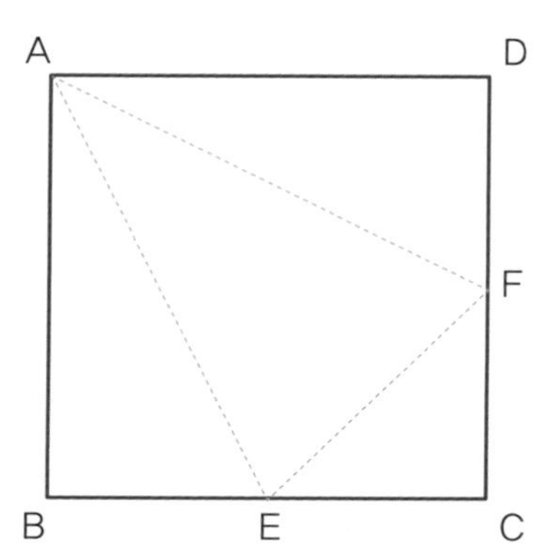

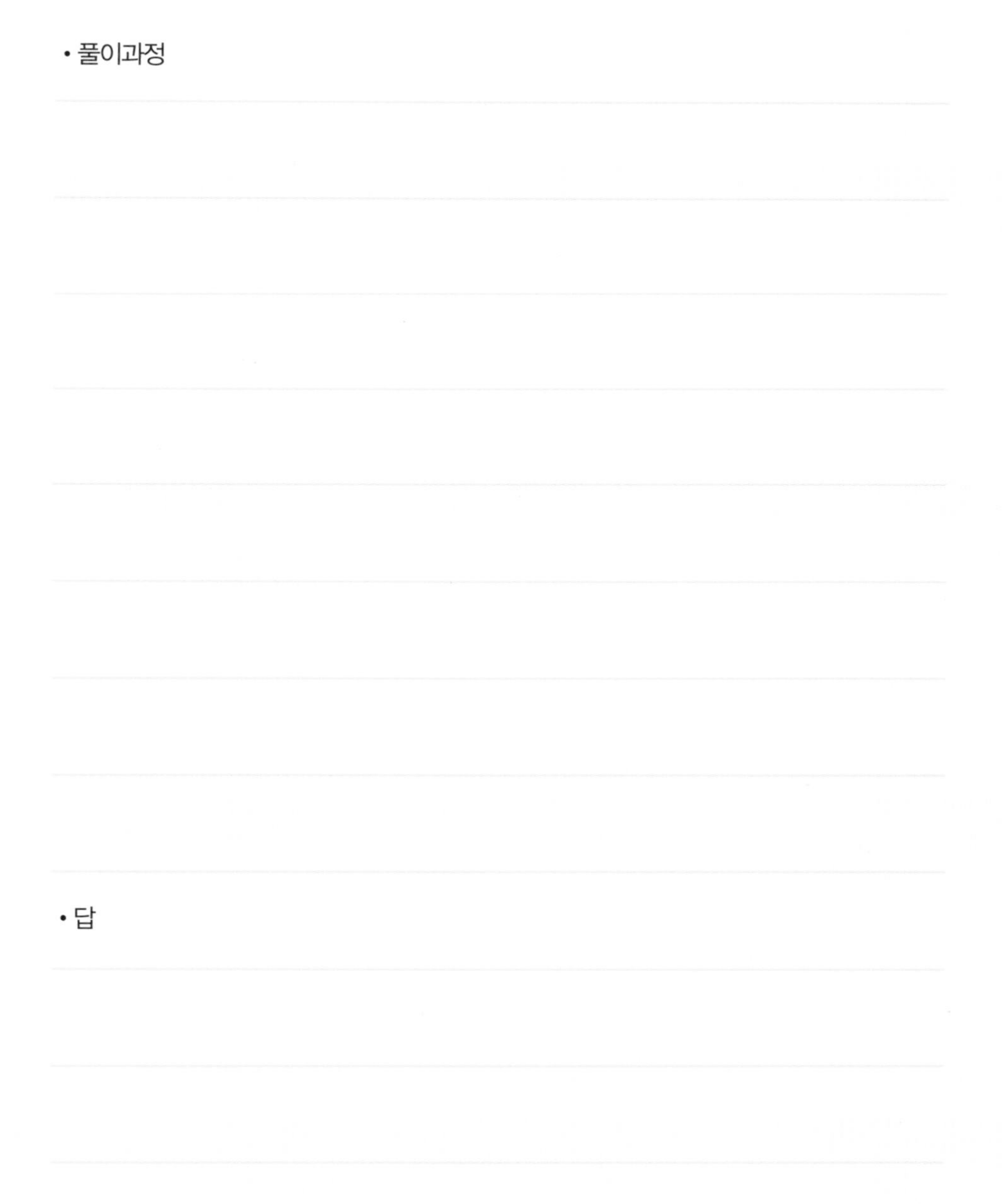

• 풀이과정

• 답

$\frac{2}{3\times5}+\frac{2}{5\times7}+\frac{2}{7\times9}+\cdots+\frac{2}{17\times19}$의 계산 결과를 풀이과정과 함께 구하시오. [8점]

• 풀이과정

• 답

평가 영역

■ 수학 사고력 □ 수학 창의성
□ 수학 STEAM

평가 요소

■ 개념 이해력 □ 개념 응용력
□ 유창성 □ 독창성 및 융통성
□ 문제 파악 능력 □ 문제 해결 능력

교과 영역

■ 수와 연산 □ 도형 □ 측정
□ 규칙성 □ 확률과 통계

난이도 ★★☆

평가 영역

■ 수학 사고력 □ 수학 창의성
□ 수학 STEAM

평가 요소

□ 개념 이해력 ■ 개념 응용력
□ 유창성 □ 독창성 및 융통성
□ 문제 파악 능력 □ 문제 해결 능력

교과 영역

□ 수와 연산 □ 도형 ■ 측정
□ 규칙성 □ 확률과 통계

난이도 ★★☆

다음 도형에서 $x+y+z+u$의 크기를 풀이과정과 함께 구하시오. [8점]

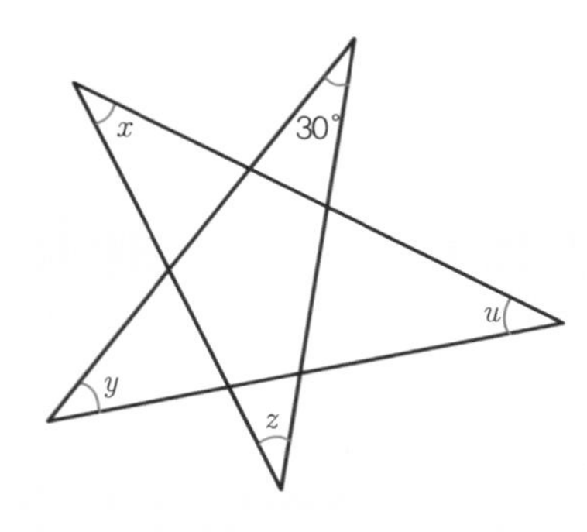

• 풀이과정

• 답

평가 영역

■ 수학 사고력 □ 수학 창의성
□ 수학 STEAM

평가 요소

□ 개념 이해력 ■ 개념 응용력
□ 유창성 □ 독창성 및 융통성
□ 문제 파악 능력 □ 문제 해결 능력

교과 영역

■ 수와 연산 □ 도형 □ 측정
□ 규칙성 □ 확률과 통계

난이도 ★ ★ ★

다음 규칙에 따라 10에서 99까지의 두 자리 정수를 차례로 나열하였다.

[규칙]

Ⅰ. 각 자리 숫자의 곱이 작은 수를 먼저 나열한다.

Ⅱ. 각 자리 숫자의 곱이 같을 때는 작은 수를 먼저 나열한다.

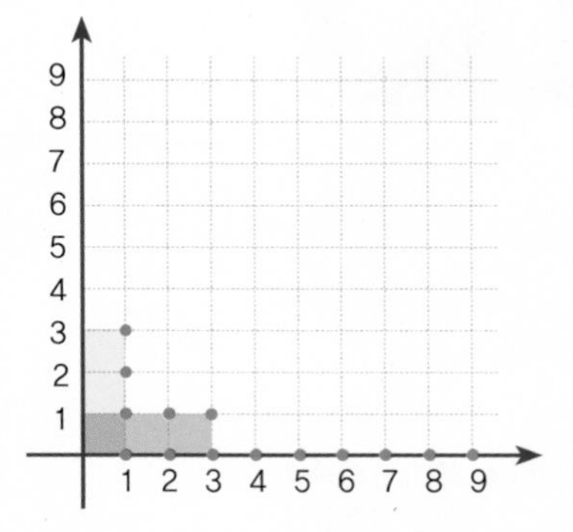

규칙에 따라 10에서 99까지의 두 자리 정수를 차례로 나열하였다. 규칙에 따라 두 자리 정수를 나열하면 10, 20, 30, ⋯, 99가 된다.

예를 들어 31을 좌표 평면 위의 점 (3, 1)로 생각하면 각 자리의 숫자의 곱은 색칠된 부분의 넓이와 같다. 이를 이용하여 31보다 앞에 나열되는 수를 차례로 구해보면 10, 20, ⋯, 90, 11, 12, 21, 13이므로 14번째로 나열된다.

이때, 37은 몇 번째로 나열되는 수인지 좌표평면을 이용해 풀이과정과 함께 구하시오. [8점]

• 풀이과정

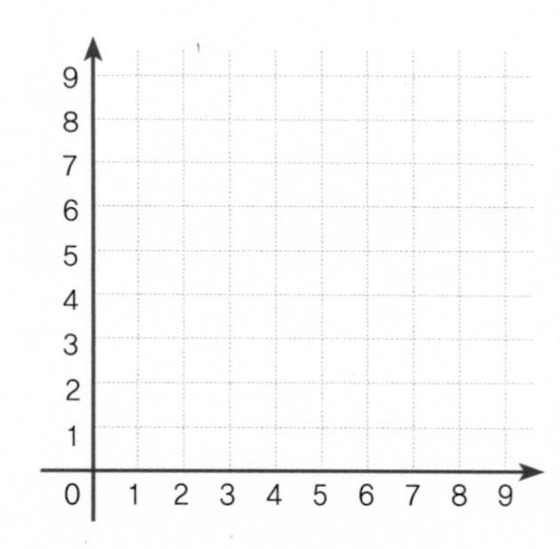

• 답

삼각형의 세 변의 길이가 4, 7, x라 할 때, 가능한 삼각형의 세 변의 길이를 모두 구하시오. (단, 세 변의 길이는 모두 정수이다.) [10점]

평가 영역

□ 수학 사고력 ■ 수학 창의성
□ 수학 STEAM

평가 요소

□ 개념 이해력 □ 개념 응용력
■ 유창성 □ 독창성 및 융통성
□ 문제 파악 능력 □ 문제 해결 능력

교과 영역

□ 수와 연산 □ 도형 ■ 측정
□ 규칙성 □ 확률과 통계

난이도 ★★☆

평가 영역

☐ 수학 사고력 ■ 수학 창의성
☐ 수학 STEAM

평가 요소

☐ 개념 이해력 ☐ 개념 응용력
■ 유창성 ☐ 독창성 및 융통성
☐ 문제 파악 능력 ☐ 문제 해결 능력

교과 영역

☐ 수와 연산 ☐ 도형 ☐ 측정
☐ 규칙성 ■ 확률과 통계

난이도 ★★★

다음은 A 라면을 만들어 판매하는 회사가 A 라면이 다른 라면과 비교하여 우위에 있다는 주장을 하며 제시한 근거 자료이다. A 라면을 판매하는 회사의 주장이 적절하지 않은 이유를 다섯 가지 서술하시오. [10점]

종류	A 라면	B 라면	C 라면
재구매율(%)	81.4	78	79.7

❶

❷

❸

❹

❺

평가 영역
□ 수학 사고력 ■ 수학 창의성
□ 수학 STEAM

평가 요소
□ 개념 이해력 □ 개념 응용력
■ 유창성 ■ 독창성 및 융통성
□ 문제 파악 능력 □ 문제 해결 능력

교과 영역
□ 수와 연산 ■ 도형 □ 측정
□ 규칙성 □ 확률과 통계

난이도 ★★★

다음을 분류할 수 있는 수학적 기준을 다섯 가지 쓰시오. [10점]

❶

❷

❸

❹

❺

다음 기사를 읽고 물음에 답하시오.

기사

힐베르트는 '무한 호텔'의 관리인이다. 이 호텔은 매우 멋진 호텔로 항상 손님이 가득 차 있어 빈방이 없다. 이때 손님이 한 명 찾아왔다.

손님 : 빈방 있나요?

힐베르트 : 없습니다. 하지만 손님들께 양해를 구하고 빈방을 구해드릴 수 있습니다.

힐베르트는 호텔 전체에 안내방송을 시작했다.

힐베르트 : 손님들께 양해 말씀을 드립니다. 손님 한 분이 찾아오셔서 방을 내어드리고자 하니 1호실 손님은 2호실로, 2호실 손님은 3호실로 … n호실 손님은 $(n+1)$호실로 옮겨주시면 감사하겠습니다.

새로운 손님은 1호실에 묵을 수 있게 되었다.

1 힐베르트가 계속 방문하는 손님에게 새로운 방은 내어줄 수 있기 위한 조건을 두 가지 서술하시오. [5점]

평가 영역
- □ 수학 사고력 □ 수학 창의성
- ■ 수학 STEAM

평가 요소
- □ 개념 이해력 □ 개념 응용력
- □ 유창성 □ 독창성 및 융통성
- ■ 문제 파악 능력 □ 문제 해결 능력

교과 영역
- ■ 수와 연산 □ 도형 □ 측정
- ■ 규칙성 □ 확률과 통계

난이도 ★★★

평가 영역

□ 수학 사고력 □ 수학 창의성
■ 수학 STEAM

평가 요소

□ 개념 이해력 □ 개념 응용력
□ 유창성 □ 독창성 및 융통성
□ 문제 파악 능력 ■ 문제 해결 능력

교과 영역

■ 수와 연산 □ 도형 □ 측정
■ 규칙성 □ 확률과 통계

난이도 ★★★

2 새로운 손님이 올 때마다 방을 옮겨달라고 하니 짜증이 난 기존 투숙객들이 호텔을 골탕먹이고자 각자 친구 한 명씩을 같은 날 호텔로 초대해 버렸다. 기존 투숙객만큼의 사람이 한꺼번에 찾아와 자신들에게도 빈방을 달라고 요구했다. 힐베르트는 눈 하나 깜짝하지 않고 이 문제를 해결했다. 힐베르트의 해결 방법을 서술하시오. [10점]

다음 기사를 읽고 물음에 답하시오.

기사

퍼지(fuzzy) 이론은 1965년 미국 캘리포니아 주 버클리 대학의 제데(Zadeh) 교수에 의해 처음 제안되었다. 제데 교수는 자기 부인의 아름다운 외모를 정확한 수치로 환산해서 '아름다움의 절대 평가 기준'을 만들기 위해 퍼지 이론을 도입하였다고 한다. 퍼지는 '애매하다', '모호하다'라는 뜻으로, 퍼지 이론은 애매하고 불분명한 상황에서 여러 문제를 판단, 결정하는 과정에 대하여 수학적으로 접근하려는 이론이다. 퍼지 이론이 나오기 전까지는 컴퓨터는 '크다' 또는 '작다' 만 구별할 수 있었지만, 퍼지 이론이 적용된 후에는 '크다', '작다', '조금 크다, '조금 작다'를 알 수 있게 되었다. 즉, '예' 또는 '아니오' 등의 두 가지 방법밖에 처리할 수 없었던 컴퓨터 시스템을 인간이 생각하는 것처럼 다양한 결정을 할 수 있게 만든 이론이다.

평가 영역
□ 수학 사고력 □ 수학 창의성
■ 수학 STEAM

평가 요소
□ 개념 이해력 □ 개념 응용력
□ 유창성 □ 독창성 및 융통성
■ 문제 파악 능력 □ 문제 해결 능력

교과 영역
■ 수와 연산 □ 도형 ■ 측정
□ 규칙성 □ 확률과 통계

난이도 ★★☆

1 다음 글을 읽고 세탁기의 사용 설명서의 약점을 서술하시오. [5점]

새로 구매한 세탁기의 사용 설명서에는 다음과 같이 적혀 있었다.
'세탁물의 무게가 5 kg 미만이면 세제를 1스푼, 5 kg 이상이면 세제를 2스푼 넣고 세탁을 하시오.'
사용 설명서를 읽은 수영이는 월요일에는 4.9 kg의 빨래를 세제 1스푼을 넣고 세탁하였고, 화요일에는 5.1 kg의 빨래를 세제 2스푼을 넣고 세탁하였다.

평가 영역

□ 수학 사고력 □ 수학 창의성
■ 수학 STEAM

평가 요소

□ 개념 이해력 □ 개념 응용력
□ 유창성 □ 독창성 및 융통성
□ 문제 파악 능력 ■ 문제 해결 능력

교과 영역

■ 수와 연산 □ 도형 ■ 측정
□ 규칙성 □ 확률과 통계

난이도 ★★★

2 퍼지 이론에 의해 세탁물의 양에 따라 넣는 세제의 양을 다음과 같이 바꾸었을 때 장점을 쓰고, 일상생활에서 퍼지 이론이 활용되는 경우를 네 가지 찾아 서술하시오. [10점]

> 세탁물의 양이 2.5 kg 미만일 경우 반 스푼,
> 세탁물의 양이 2.5 kg 이상 5 kg 미만일 경우 한 스푼,
> 세탁물의 양이 5 kg 이상 7.5 kg 미만일 경우 한 스푼 반,
> 세탁물의 양이 7.5 kg 이상 10 kg 미만일 경우 두 스푼의 세제를 넣고 세탁하세요.

• 장점

• 퍼지 이론이 활용되는 경우

1

2

3

4

안쌤의 창의적 문제해결력
파이널 수학 50제
2강

안쌤의 창의적 문제해결력

파이널 50제

수학 3

중등
1·2
학년

평가 영역

■ 수학 사고력 □ 수학 창의성
□ 수학 STEAM

평가 요소

■ 개념 이해력 □ 개념 응용력
□ 유창성 □ 독창성 및 융통성
□ 문제 파악 능력 □ 문제 해결 능력

교과 영역

□ 수와 연산 □ 도형 □ 측정
□ 규칙성 ■ 확률과 통계

난이도 ★★☆

새빈이와 현서 두 사람이 오후 1시와 2시 사이에 만나기로 하고 먼저 온 사람은 나중에 오는 사람을 15분만 기다리기로 하였다. 두 사람이 만날 수 있는 확률을 풀이과정과 함께 구하시오. [8점]

• 풀이과정

• 답

평가 영역

■ 수학 사고력 □ 수학 창의성
□ 수학 STEAM

평가 요소

□ 개념 이해력 ■ 개념 응용력
□ 유창성 □ 독창성 및 융통성
□ 문제 파악 능력 □ 문제 해결 능력

교과 영역

□ 수와 연산 ■ 도형 □ 측정
□ 규칙성 □ 확률과 통계

난이도 ★ ★ ☆

다음 그림에서 △ACD, △CBE는 정삼각형이고, $\overline{BD}$와 $\overline{AE}$의 교점이 P일 때, ∠APB의 크기를 풀이과정과 함께 구하시오. [8점]

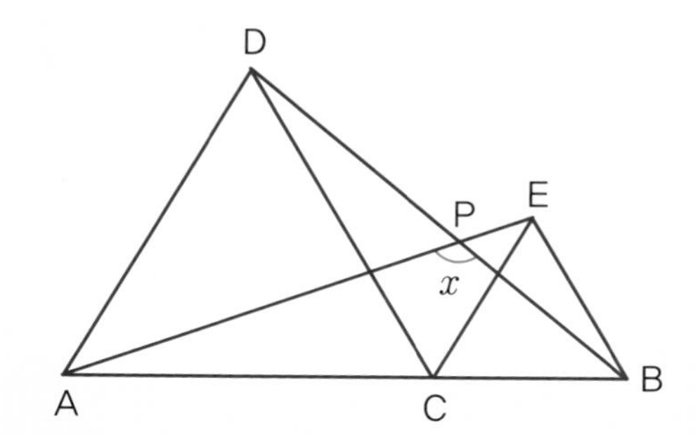

• 풀이과정

• 답

평가 영역
■ 수학 사고력 □ 수학 창의성
□ 수학 STEAM

평가 요소
■ 개념 이해력 □ 개념 응용력
□ 유창성 □ 독창성 및 융통성
□ 문제 파악 능력 □ 문제 해결 능력

교과 영역
■ 수와 연산 □ 도형 □ 측정
□ 규칙성 □ 확률과 통계

난이도 ★★★

동우는 오전 8시에 집을 나서서 자전거를 타고 전국일주여행을 떠났다. 동우는 하루에 10시간씩 자전거를 타고 x km를 이동할 수 있다. 그런데 동우가 중요한 물건을 두고 갔다. 그래서 용원이가 중요한 물건을 가지고 동우가 출발한 지 4시간 후에 출발하여 자전거로 그 뒤를 따라가서 물건을 전해 주고, 오후 4시가 되어서 돌아왔다. 이때 용원이의 자전거 속력을 풀이과정과 함께 구하시오. (단, 동우와 용원이의 자전거의 속력은 각각 일정하다.) [8점]

• 풀이과정

• 답

평가 영역

■ 수학 사고력 □ 수학 창의성
□ 수학 STEAM

평가 요소

■ 개념 이해력 □ 개념 응용력
□ 유창성 □ 독창성 및 융통성
□ 문제 파악 능력 □ 문제 해결 능력

교과 영역

□ 수와 연산 □ 도형 □ 측정
■ 규칙성 □ 확률과 통계

난이도 ★ ★ ★

하노이 탑은 3개의 기둥과 서로 다른 크기의 원반으로 이루어져 있다. 이 원반들은 세 개의 기둥 중 하나에 반드시 꽂혀 있어야 하며, 큰 원반은 작은 원반 위에 올 수 없다. 원반을 옮기는 과정에서도 큰 원반은 작은 원반 위에 올 수 없다. 다음과 같이 〈기둥 1〉에 6개의 원반이 놓여 있다. 이 원반들을 〈기둥 2〉를 이용하여 〈기둥 3〉으로 옮길 때 최소 횟수를 풀이과정과 함께 구하시오. [8점]

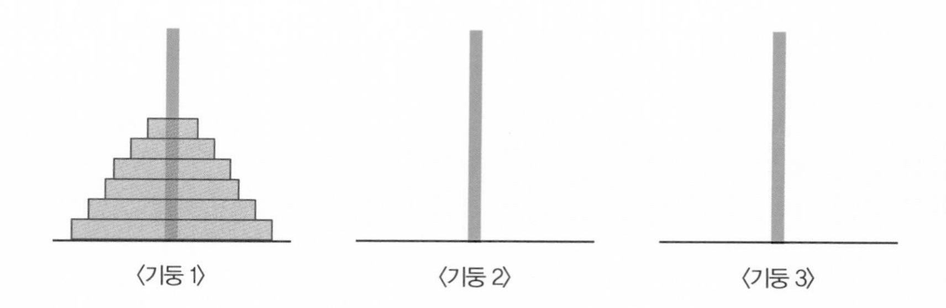

• 풀이과정

• 답

평가 영역

■ 수학 사고력 □ 수학 창의성
□ 수학 STEAM

평가 요소

■ 개념 이해력 □ 개념 응용력
□ 유창성 □ 독창성 및 융통성
□ 문제 파악 능력 □ 문제 해결 능력

교과 영역

□ 수와 연산 □ 도형 ■ 측정
□ 규칙성 □ 확률과 통계

난이도 ★ ★ ☆

5 %의 소금물 120 g에서 x g의 소금물을 퍼내고, 퍼낸 만큼 물을 부은 다음 4 %의 소금물 180 g과 섞었더니 3.6 %의 소금물 300 g이 되었다. 처음 퍼낸 소금물의 양 x를 풀이과정과 함께 구하시오. [8점]

• 풀이과정

• 답

평가 영역

☐ 수학 사고력 ■ 수학 창의성
☐ 수학 STEAM

평가 요소

☐ 개념 이해력 ☐ 개념 응용력
■ 유창성 ☐ 독창성 및 융통성
☐ 문제 파악 능력 ☐ 문제 해결 능력

교과 영역

☐ 수와 연산 ■ 도형 ☐ 측정
☐ 규칙성 ☐ 확률과 통계

난이도 ★★☆

다음 입체도형을 한 평면으로 잘랐을 때, 그 단면이 될 수 있는 도형을 모두 그리고, 어떻게 자른 것인지 나타내시오. [10점]

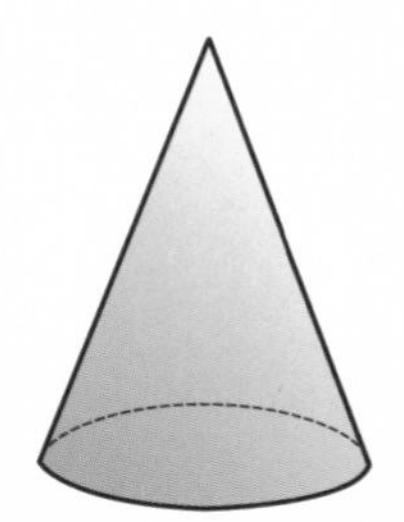

수학 창의성

27

평가 영역
- □ 수학 사고력 ■ 수학 창의성
- □ 수학 STEAM

평가 요소
- □ 개념 이해력 □ 개념 응용력
- ■ 유창성 ■ 독창성 및 융통성
- □ 문제 파악 능력 □ 문제 해결 능력

교과 영역
- □ 수와 연산 □ 도형 □ 측정
- ■ 규칙성 □ 확률과 통계

난이도 ★★★

자판기는 하나의 버튼을 누르면 그 버튼에 해당하는 상품이 나오도록 만들어진 대응의 대표적인 예이다. 자판기와 같이 대응으로 설명할 수 있는 것을 다섯 가지 서술하시오. [10점]

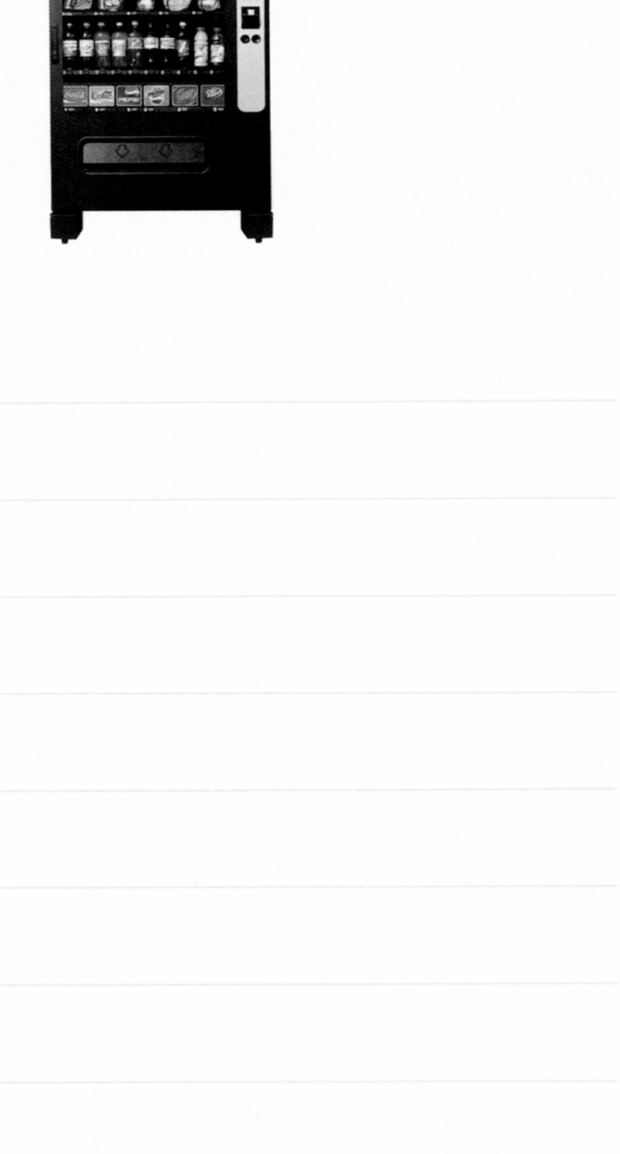

①

②

③

④

⑤

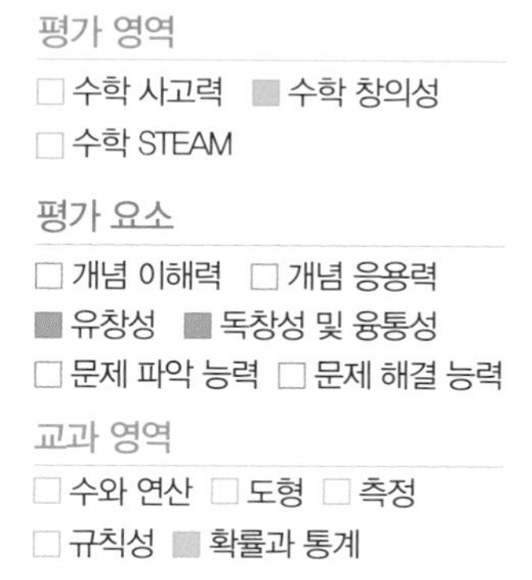

다음은 우리나라에서 발생한 '중동 호흡기 증후군' 메르스(MERS) 환자 현황을 2015년 6월 16일까지 조사한 결과이다. 그래프를 보고 알 수 있는 사실을 다섯 가지 서술하시오. [10점]

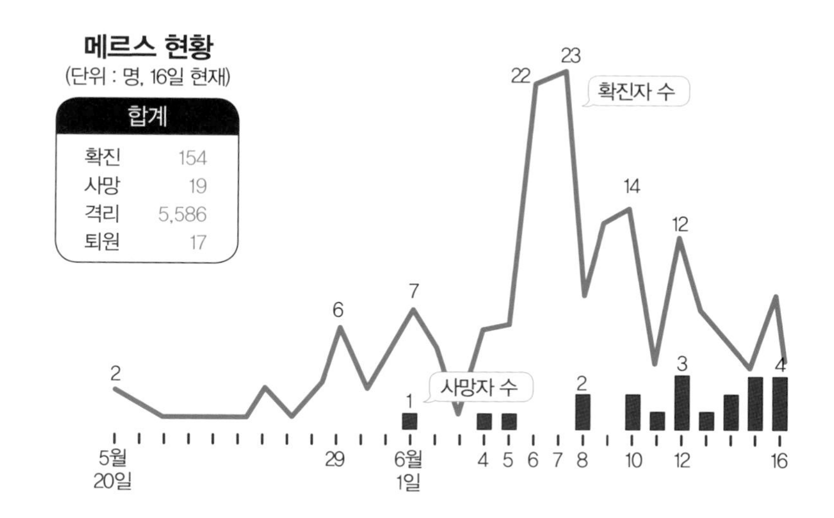

1

2

3

4

5

다음 기사를 읽고 물음에 답하시오.

기사

사막은 기온이 40 ℃에 이르지만, 그늘에 들어가면 그다지 덥지 않다. 하지만 우리나라는 여름철 기온이 30 ℃ 정도만 되어도 푹푹 찌는 듯한 찜통더위를 느끼게 된다. 기온이 더 낮은 우리나라의 여름이 사막보다 더 덥게 느껴지는 이유는 체감온도가 다르기 때문이다. 체감온도는 기온뿐만 아니라 바람, 습도에 따라 달라진다. 불쾌지수는 체감온도를 나타내는 방법의 하나로 더위에 대하여 몸이 느끼는 불쾌감을 수치로 나타낸 것이다. 하지만 불쾌감을 느끼는 정도는 사람마다 다를 수 있어서 최근에는 온습도 지수로 부르기를 권장하고 있다.

평가 영역
□ 수학 사고력 □ 수학 창의성
■ 수학 STEAM

평가 요소
□ 개념 이해력 □ 개념 응용력
□ 유창성 □ 독창성 및 융통성
■ 문제 파악 능력 □ 문제 해결 능력

교과 영역
■ 수와 연산 □ 도형 ■ 측정
□ 규칙성 □ 확률과 통계

난이도 ★ ★ ★

1 체감온도는 덥거나 춥다고 느끼는 정도를 나타낸 온도로 느낌온도라고도 한다. 불쾌지수는 대표적인 체감온도의 하나이다. 불쾌지수와 같은 체감온도를 결정하는 요소를 다섯 가지 쓰시오. [5점]

①

②

③

④

⑤

평가 영역

□ 수학 사고력 □ 수학 창의성
■ 수학 STEAM

평가 요소

□ 개념 이해력 □ 개념 응용력
□ 유창성 □ 독창성 및 융통성
□ 문제 파악 능력 ■ 문제 해결 능력

교과 영역

■ 수와 연산 □ 도형 ■ 측정
□ 규칙성 □ 확률과 통계

난이도 ★★★

2 ❶ 에서 찾은 요소 중 체감온도에 영향을 많이 준다고 생각하는 것을 나열하고, 이를 바탕으로 불쾌지수를 구하는 식을 만들고 이유를 서술하시오. [10점]

• 체감온도에 영향을 미치는 요소

• 불쾌지수 구하는 식 :

• 이유 :

다음 기사를 읽고 물음에 답하시오.

기사

함수라는 단어는 수학에서뿐만 아니라 우리 생활에서도 폭넓게 사용된다. 조금만 찾아보면 수학과 전혀 상관없어 보이는 내용에도 함수라는 단어가 사용되고 있는 것을 알 수 있다. 예를 들면 '스타의 출연과 시청률의 함수 관계'라던가, '키와 운동의 함수 관계'와 같이 말이다. 그렇다면 함수 관계란 어떤 상황에서 사용하는 것일까? 또 수학에서 배운 함수와 수학 바깥에서 사용되는 함수는 이름만 같고 그 내용은 다른 것일까?

평가 영역
□ 수학 사고력 □ 수학 창의성
■ 수학 STEAM

평가 요소
□ 개념 이해력 □ 개념 응용력
□ 유창성 □ 독창성 및 융통성
■ 문제 파악 능력 □ 문제 해결 능력

교과 영역
□ 수와 연산 □ 도형 □ 측정
■ 규칙성 ■ 확률과 통계

난이도 ★★☆

1 함수 관계를 조사하던 중 '비의 양과 선거 투표율의 함수 관계'에 대한 내용을 찾을 수 있었다. 비의 양과 선거 투표율 사이에 함수 관계가 존재한다고 할 때, 비의 양이 선거 투표율에 미치는 영향을 이유와 함께 서술하시오. [5점]

평가 영역

- □ 수학 사고력 □ 수학 창의성
- ■ 수학 STEAM

평가 요소

- □ 개념 이해력 □ 개념 응용력
- □ 유창성 □ 독창성 및 융통성
- □ 문제 파악 능력 ■ 문제 해결 능력

교과 영역

- □ 수와 연산 □ 도형 □ 측정
- ■ 규칙성 ■ 확률과 통계

난이도 ★★★

2 다음은 '함수 관계'를 검색한 결과이다. 이처럼 우리 생활에서 찾을 수 있는 함수 관계를 열 가지 서술하시오. [10점]

[Q생각] 조승우 홍광호 박효신 김준수...뮤지컬배우 '노래와 연기' **함수관계**
스포츠Q 4일 전

복잡한 **함수관계**가 존재한다. 앞에서 언급했듯 노래가 중심이 돼 극적 요소(드라마)와 춤이 조화를 이룬 뮤지컬에서 배우의 실력을 가늠하는 두 축은 가창력과 연기력이다. 다소의 이견은 있으나 전문가들은 가창력에...

사회주의적 종교지형의 원리와 적용 통일뉴스 15시간 전

"라는 두 가지 문제축의 **함수관계**를 푸는 것으로 종교정책의 방향을 정했다고 볼 수 있다. 이 두 가지 서로 다른 명제는 일종의 파라독스이지만, 사회주의의 발전 단계에 따라 다소간의 차이를 나타내게 되고, 개별적인...

대구 메르스 첫 확진! 대구날씨 vs 메르스, **함수관계**는? 더팩트 2015.06.16.

대구 메르스 첫 확진, 대구날씨와 무슨 **관계**? 대구 메르스 첫 확진, 대구날씨와 상관**관계**가 주목 받고 있다.... / 더팩트 DB 대구 메르스 첫 확진, 대구날씨와 무슨 **관계**? 대구 메르스 첫 확진, 대구날씨와 상관**관계**가...

수학 3강

안쌤의 창의적 문제해결력
파이널 수학 50제
3강

안쌤의 창의적 문제해결력

파이널 50제 수학 4

중등

1·2

학년

평가 영역

■ 수학 사고력 □ 수학 창의성
□ 수학 STEAM

평가 요소

■ 개념 이해력 □ 개념 응용력
□ 유창성 □ 독창성 및 융통성
□ 문제 파악 능력 □ 문제 해결 능력

교과 영역

■ 수와 연산 □ 도형 □ 측정
□ 규칙성 □ 확률과 통계

난이도 ★ ☆ ☆

네 자리의 자연수 중에서 2, 3, 4, 5, 6의 어느 수로 나누어도 나머지가 항상 1인 가장 작은 수를 7로 나눌 때의 나머지를 풀이과정과 함께 구하시오. [8점]

• 풀이과정

• 답

평가 영역

■ 수학 사고력 □ 수학 창의성
□ 수학 STEAM

평가 요소

■ 개념 이해력 □ 개념 응용력
□ 유창성 □ 독창성 및 융통성
□ 문제 파악 능력 □ 문제 해결 능력

교과 영역

□ 수와 연산 □ 도형 ■ 측정
□ 규칙성 □ 확률과 통계

난이도 ★★★

다음 그림과 같이 두 개의 정육각형이 원의 안쪽과 바깥쪽에 접하고 있다. 작은 정육각형의 넓이가 30 cm^2일 때, 큰 정육각형의 넓이를 풀이과정과 함께 구하시오. [8점]

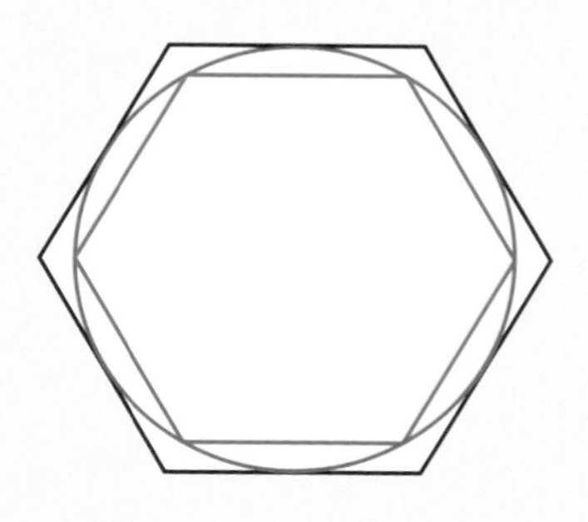

• 풀이과정

• 답

평가 영역

■ 수학 사고력 □ 수학 창의성
□ 수학 STEAM

평가 요소

■ 개념 이해력 □ 개념 응용력
□ 유창성 □ 독창성 및 융통성
□ 문제 파악 능력 □ 문제 해결 능력

교과 영역

■ 수와 연산 □ 도형 □ 측정
□ 규칙성 □ 확률과 통계

난이도 ★ ★ ☆

어떤 자연수 x를 9로 나누었더니 몫은 y, 나머지는 4이다. 이 몫을 5로 나누면 몫은 z, 나머지는 3이 된다. x를 15로 나누었을 때의 몫과 나머지를 풀이과정과 함께 각각 구하시오. [8점]

• 풀이과정

• 답

평가 영역

■ 수학 사고력 □ 수학 창의성
□ 수학 STEAM

평가 요소

□ 개념 이해력 ■ 개념 응용력
□ 유창성 □ 독창성 및 융통성
□ 문제 파악 능력 □ 문제 해결 능력

교과 영역

□ 수와 연산 □ 도형 □ 측정
■ 규칙성 □ 확률과 통계

난이도 ★★★

다음은 어떤 규칙에 따라 수를 삼각형 모양으로 배열한 것이다. 이 수열의 100열에 있는 수들의 합을 풀이과정과 함께 구하시오. [8점]

1열				1			
2열			1	3	1		
3열		1	3	5	3	1	
4열	1	3	5	7	5	3	1
5열				⋮			

• 풀이과정

• 답

평가 영역

■ 수학 사고력 □ 수학 창의성
□ 수학 STEAM

평가 요소

□ 개념 이해력 ■ 개념 응용력
□ 유창성 □ 독창성 및 융통성
□ 문제 파악 능력 □ 문제 해결 능력

교과 영역

■ 수와 연산 □ 도형 □ 측정
□ 규칙성 □ 확률과 통계

난이도 ★★☆

어느 반에서 번호가 1번부터 13번까지인 13명의 학생이 각자 몇 개씩의 구슬을 가지고 있다. n번 학생과 $n+1$번 학생이 가진 구슬 개수의 합은 $9+n$개이고, 1번 학생과 13번 학생의 구슬 개수의 합이 22개였다면, 1번 학생이 가진 구슬의 개수는 몇 개인지 풀이과정과 함께 구하시오. [8점]

• 풀이과정

• 답

평가 영역

□ 수학 사고력 ■ 수학 창의성
□ 수학 STEAM

평가 요소

□ 개념 이해력 □ 개념 응용력
■ 유창성 □ 독창성 및 융통성
□ 문제 파악 능력 □ 문제 해결 능력

교과 영역

■ 수와 연산 □ 도형 □ 측정
□ 규칙성 □ 확률과 통계

난이도 ★★☆

염소와 닭이 모두 10마리 있고, 이들의 다리의 수를 세면 모두 34개이다. 염소와 닭의 마릿수를 세 가지 방법으로 풀이과정과 함께 구하시오. [10점]

①

②

③

평가 영역

□수학 사고력 ■수학 창의성
□수학 STEAM

평가 요소

□개념 이해력 □개념 응용력
■유창성 □독창성 및 융통성
□문제 파악 능력 □문제 해결 능력

교과 영역

□수와 연산 ■도형 □측정
□규칙성 □확률과 통계

난이도 ★★☆

다음 그림과 같이 크기가 모두 같은 작은 정사각형 중 다섯 개에만 ★이 들어 있다. 오직 한 개의 ★만을 포함하는 정사각형을 모두 그리시오. [10점]

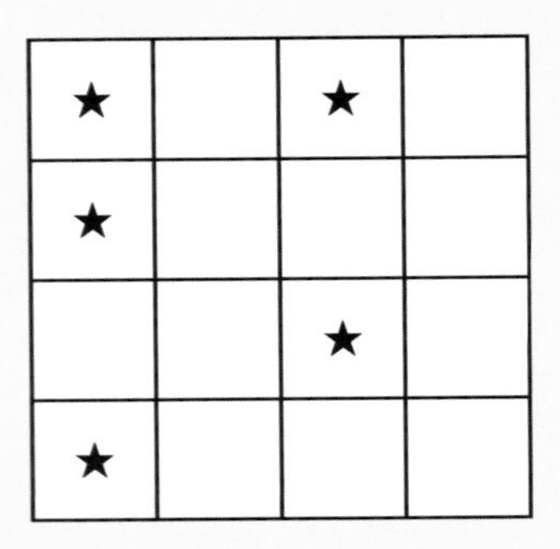

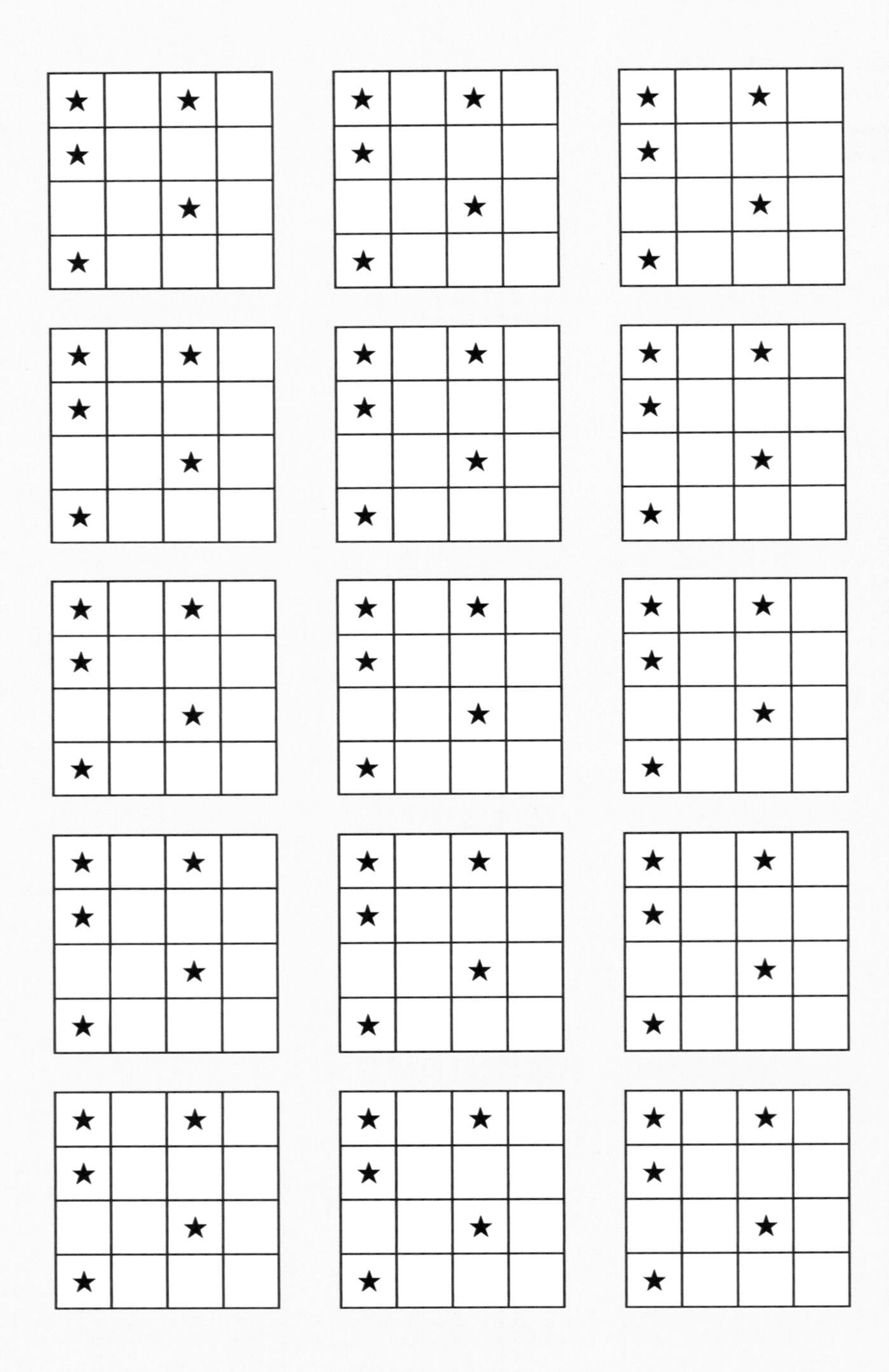

평가 영역
□ 수학 사고력 ■ 수학 창의성
□ 수학 STEAM

평가 요소
□ 개념 이해력 □ 개념 응용력
■ 유창성 ■ 독창성 및 융통성
□ 문제 파악 능력 □ 문제 해결 능력

교과 영역
□ 수와 연산 □ 도형 □ 측정
■ 규칙성 □ 확률과 통계

난이도 ★★★

다음 수 배열표에서 찾을 수 있는 규칙을 다섯 가지 서술하시오. [10점]

116	115	114	113	112	111	110	109	108	107
81	80	79	78	77	76	75	74	73	106
82	53	52	51	50	49	48	47	72	105
83	54	33	32	31	30	29	46	71	104
84	55	34	21	20	19	28	45	70	103
85	56	35	22	17	18	27	44	69	102
86	57	36	23	24	25	26	43	68	101
87	58	37	38	39	40	41	42	67	100
88	59	60	61	62	63	64	65	66	99
89	90	91	92	93	94	95	96	97	98

1

2

3

4

5

다음 기사를 읽고 물음에 답하시오.

기사

매미는 식물 조직에 알을 낳는다. 우리나라에서 잘 알려진 유지매미와 참매미는 산란한 해부터 치면 7년째에 성충이 된다. 또 늦털매미는 5년째에 성충이 된다고 알려졌다. 매미탑이라고 불리는 북아메리카에 사는 매미는 산란에서부터 성충이 되기까지 13년이 걸리는 종과 17년이 걸리는 종으로 나뉘고, 그 형태나 울음소리에도 차이가 있는 것이 확인되었다. 이처럼 여러 종류의 매미가 산란에서 성충이 되기까지 걸리는 시간을 생활주기라고 한다. 재미있는 것은 매미의 생활주기가 보통 5년, 7년, 13년, 17년의 소수라는 점이다.

평가 영역

□ 수학 사고력 □ 수학 창의성
■ 수학 STEAM

평가 요소

□ 개념 이해력 □ 개념 응용력
□ 유창성 □ 독창성 및 융통성
■ 문제 파악 능력 □ 문제 해결 능력

교과 영역

■ 수와 연산 □ 도형 □ 측정
■ 규칙성 □ 확률과 통계

난이도 ★★☆

1 '왜 매미의 생활주기가 소수일까?'라는 의문에 유력한 두 학설이 있다. 소수의 특징을 이용하여 두 학설이 무엇인지 추리하여 서술하시오. [5점]

평가 영역

□ 수학 사고력 □ 수학 창의성
■ 수학 STEAM

평가 요소

□ 개념 이해력 □ 개념 응용력
□ 유창성 □ 독창성 및 융통성
□ 문제 파악 능력 ■ 문제 해결 능력

교과 영역

■ 수와 연산 □ 도형 ■ 측정
□ 규칙성 □ 확률과 통계

난이도 ★★★

2 매미의 생활주기가 소수인 것과 같이 우리 생활 속에서도 소수는 다양하게 사용되고 있다. 소수가 사용되는 대표적인 예가 소주 한 병의 용량이다. 소주 한 병에는 약 360 mL의 소주가 들어있고, 소주잔의 크기는 약 50 mL이다. 소주의 용량은 소수와 어떤 관계가 있는지 서술하시오. [10점]

다음 기사를 읽고 물음에 답하시오.

기사

차량정체 상황에서 가장 큰 적은 무엇일까? 많은 대답이 있을 수 있겠지만 '운전자의 졸음'만큼 무서운 것도 없다. 졸음운전을 막기 위해 개인만 노력하는 것이 아니라 국가와 사회에서도 노력을 기울인다.

'노래하는 도로'에 대해 들어본 적이 있을 것이다. 방송과 기사에 자주 나올 정도로 화제가 된 적이 있었던 이 도로는 Grooving 공법('작은 홈을 판다' 라는 뜻)을 적용하여 도로의 특정 지점을 지나갈 때 타이어와의 마찰을 통해 노래가 흘러나오도록 만들었다. 꾸불꾸불한 길이나 내리막길을 가다 보면 '드르륵' 소리가 나면서 차가 진동하는 경험을 해보았을 것이다. Grooving 공법은 도로의 커브구간이나 내림턱, 적설 혹은 강수량이 많은 지역에서 미끄럼을 방지하기 위해 도로 표면 위에 홈을 파는 도로포장의 표면처리 공법 중의 하나이다. 이 공법은 도로의 진행방향의 수직 방향으로 홈을 파서 표면을 울퉁불퉁하게 만들어 마찰계수를 상승시키는 효과가 있다.

평가 영역
□ 수학 사고력 □ 수학 창의성
■ 수학 STEAM

평가 요소
□ 개념 이해력 □ 개념 응용력
□ 유창성 □ 독창성 및 융통성
■ 문제 파악 능력 □ 문제 해결 능력

교과 영역
■ 수와 연산 □ 도형 ■ 측정
□ 규칙성 □ 확률과 통계

난이도 ★★☆

1 '노래하는 도로'는 파동의 원리를 응용한 것으로, 도로 표면과 타이어 사이에 마찰로 인해 발생한 진동을 조절하여 사람들에게 음악처럼 들리게 한다. 다음 관계식을 이용하여 시속 100 km의 자동차가 '솔' 음을 내기 위해 Grooving 간격을 약 몇 cm로 해야 하는지 풀이과정과 함께 구하시오. [5점]

Grooving 간격 = 차량속도(초속) ÷ 진동수
솔의 진동수 = 392.6Hz

• 풀이과정

• 답

평가 영역

☐ 수학 사고력 ☐ 수학 창의성
■ 수학 STEAM

평가 요소

☐ 개념 이해력 ☐ 개념 응용력
☐ 유창성 ☐ 독창성 및 융통성
☐ 문제 파악 능력 ■ 문제 해결 능력

교과 영역

☐ 수와 연산 ☐ 도형 ■ 측정
■ 규칙성 ☐ 확률과 통계

난이도 ★★★

2 노래하는 도로와 같이 수학을 이용하여 교통사고를 예방하는 방법을 다섯 가지 수학적 원리와 함께 서술하시오. [10점]

1

2

3

4

5

안쌤의 창의적 문제해결력
파이널 수학 50제
4강

안쌤의 창의적 문제해결력

파이널 50제

수학 5

중등

1 · 2

학년

평가 영역

■ 수학 사고력 □ 수학 창의성
□ 수학 STEAM

평가 요소

■ 개념 이해력 □ 개념 응용력
□ 유창성 □ 독창성 및 융통성
□ 문제 파악 능력 □ 문제 해결 능력

교과 영역

■ 수와 연산 □ 도형 □ 측정
□ 규칙성 □ 확률과 통계

난이도 ★ ★ ☆

$\frac{3}{8} \le \frac{8}{n} \le \frac{4}{9}$를 만족하는 자연수 n을 풀이과정과 함께 모두 구하시오. [8점]

• 풀이과정

• 답

평가 영역

■ 수학 사고력 □ 수학 창의성
□ 수학 STEAM

평가 요소

■ 개념 이해력 □ 개념 응용력
□ 유창성 □ 독창성 및 융통성성
□ 문제 파악 능력 □ 문제 해결 능력

교과 영역

■ 수와 연산 □ 도형 □ 측정
□ 규칙성 □ 확률과 통계

난이도 ★★☆

다음 그림과 같은 정사각형 ABCD에서 점 A, D는 각각 일차함수 $y=3x$, $y=-\frac{1}{4}x+4$의 그래프 위의 점이다. 정사각형 ABCD의 넓이를 풀이과정과 함께 구하시오. [8점]

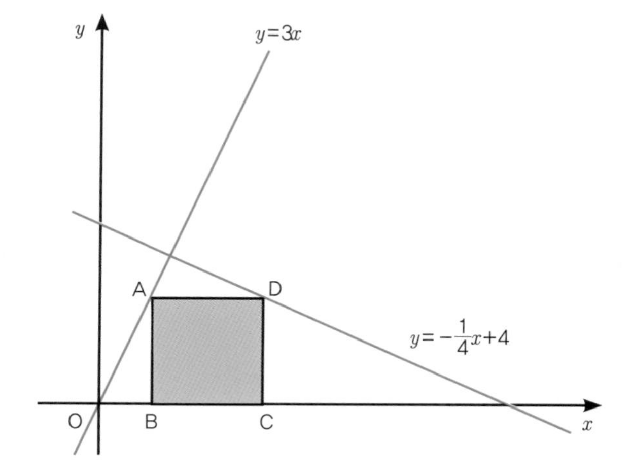

• 풀이과정

• 답

자연수 x 이하의 소수의 개수를 $f(x)$라 하고, 두 수 a, b 중 작지 않은 수를 $m(a, b)$라고 할 때, $m(f(x), 5)=5$를 만족시키는 x의 값들의 합을 풀이과정과 함께 구하시오. [8점]

• 풀이과정

• 답

평가 영역

■ 수학 사고력 □ 수학 창의성
□ 수학 STEAM

평가 요소

□ 개념 이해력 ■ 개념 응용력
□ 유창성 □ 독창성 및 융통성
□ 문제 파악 능력 □ 문제 해결 능력

교과 영역

■ 수와 연산 □ 도형 □ 측정
□ 규칙성 □ 확률과 통계

난이도 ★ ★ ★

평가 영역

■ 수학 사고력 □ 수학 창의성
□ 수학 STEAM

평가 요소

□ 개념 이해력 ■ 개념 응용력
□ 유창성 □ 독창성 및 융통성
□ 문제 파악 능력 □ 문제 해결 능력

교과 영역

□ 수와 연산 □ 도형 □ 측정
■ 규칙성 □ 확률과 통계

난이도 ★★★

사다리를 올라가는 데 한 번에 한 칸 또는 두 칸을 올라갈 수 있다고 한다. 다음 사다리를 끝까지 올라갈 수 있는 서로 다른 방법은 모두 몇 가지 인지 풀이과정과 함께 구하시오. [8점]

• 풀이과정

• 답

평가 영역

■ 수학 사고력 □ 수학 창의성
□ 수학 STEAM

평가 요소

■ 개념 이해력 □ 개념 응용력
□ 유창성 □ 독창성 및 융통성
□ 문제 파악 능력 □ 문제 해결 능력

교과 영역

□ 수와 연산 ■ 도형 □ 측정
□ 규칙성 □ 확률과 통계

난이도 ★★★

다음 그림과 같이 △ABC의 $\overline{AB}$, $\overline{AC}$에 $\overline{AH}=\overline{DH}=\overline{DG}=\overline{EG}=\overline{EF}$를 만족하는 이등변삼각형 네 개가 만들어지도록 점 D, E, F, G, H를 정할 때, ∠BAC 크기의 범위를 풀이과정과 함께 구하시오. (단. 다섯 번째 이등변삼각형은 만들 수 없다고 한다.) [8점]

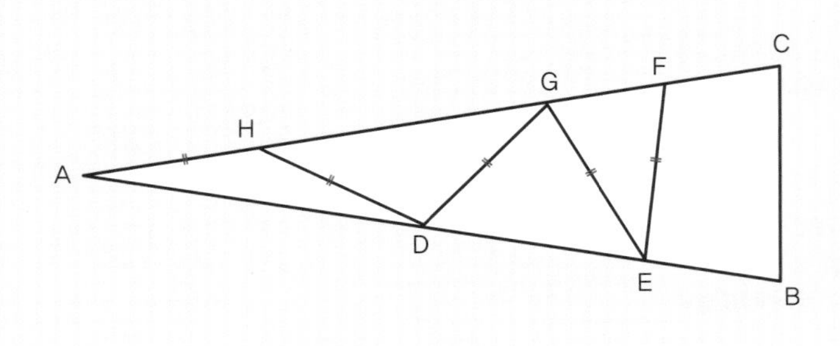

• 풀이과정

• 답

큰 원의 반지름을 r_1, 작은 원의 반지름을 r_2, 두 원의 중심 사이의 거리를 d라고 할 때, 크기가 다른 두 원의 가능한 위치 관계를 그림과 함께 모두 나타내고, r_1, r_2, d 사이의 관계를 부등식으로 나타내시오. [10점]

평가 영역

□ 수학 사고력 ■ 수학 창의성
□ 수학 STEAM

평가 요소

□ 개념 이해력 □ 개념 응용력
■ 유창성 □ 독창성 및 융통성
□ 문제 파악 능력 □ 문제 해결 능력

교과 영역

□ 수와 연산 ■ 도형 □ 측정
□ 규칙성 □ 확률과 통계

난이도 ★ ★ ☆

레오나르도 다빈치의 인체비례도를 보면 인체에서 다양한 수학적 특징을 찾으려는 노력을 확인할 수 있다. 우리 인체에서 찾을 수 있는 수학적 원리를 열 가지 서술하시오. [10점]

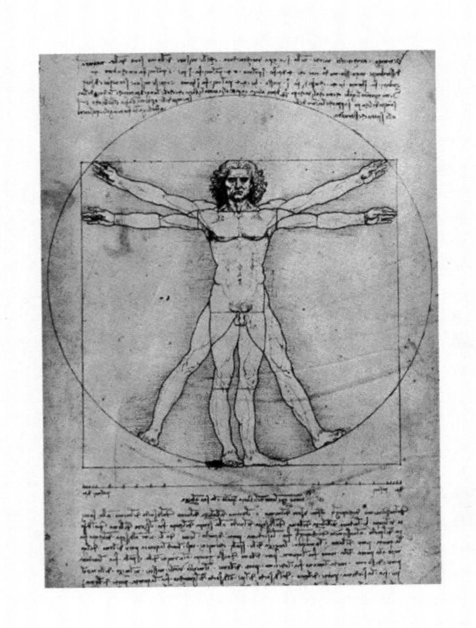

평가 영역

- ☐ 수학 사고력 ■ 수학 창의성
- ☐ 수학 STEAM

평가 요소

- ☐ 개념 이해력 ☐ 개념 응용력
- ■ 유창성 ☐ 독창성 및 융통성
- ☐ 문제 파악 능력 ☐ 문제 해결 능력

교과 영역

- ☐ 수와 연산 ■ 도형 ☐ 측정
- ☐ 규칙성 ☐ 확률과 통계

난이도 ★ ★ ★

1

2

3

4

5

6

7

8

9

10

평가 영역

□ 수학 사고력 ■ 수학 창의성
□ 수학 STEAM

평가 요소

□ 개념 이해력 □ 개념 응용력
■ 유창성 □ 독창성 및 융통성
□ 문제 파악 능력 문제 해결 능력

교과 영역

■ 수와 연산 □ 도형 □ 측정
□ 규칙성 □ 확률과 통계

난이도 ★★★

다음과 같이 주어진 두 일차함수로 해결할 수 있는 문제를 다섯 가지 만드시오. [10점]

$y=12x+5$

예 1시간 동안 물통의 12 cm만큼 물을 채울 수 있는 호스로 물이 5 cm 들어 있는 물통에 물을 채우기 시작했다. x시간 후 물통의 물의 높이를 구하시오.

❶

❷

❸

❹

❺

수학 5강

다음 기사를 읽고 물음에 답하시오.

기사

'50 cm의 눈이 와도 견딜 만큼 튼튼하게 지었는데 이렇게 힘없이 무너질 줄은 몰랐습니다.'

지난 13일 오후 강릉시의 한 파프리카 재배단지. 5500여 m^2 규모의 비닐하우스가 폭삭 주저앉았다. 길이 100 m, 폭 7.5 m 크기의 비닐하우스 9개 동을 나란히 붙여 놓은 단지는 가운데 폭탄 떨어진 듯 푹 들어간 형태로 무너졌다. 앞을 보지 못할 정도로 눈이 쏟아진 지난 11일 오후까지는 보일러를 가동해 하우스 위에 쌓인 눈을 녹이며 간간이 버텼다고 한다. 하지만 밤이 되면서 눈발은 더욱 거세졌고, 기온까지 내려가 보일러로는 견디지 못하고 밤 10시 30분쯤 비닐하우스가 주저앉고 말았다.

평가 영역
□수학 사고력 □수학 창의성
■수학 STEAM

평가 요소
□개념 이해력 □개념 응용력
□유창성 □독창성 및 융통성
■문제 파악 능력 □문제 해결 능력

교과 영역
■수와 연산 □도형 ■측정
□규칙성 □확률과 통계

난이도 ★★☆

1 보일러를 최대로 가동하면 비닐하우스에 쌓이는 눈을 한 시간에 3 cm씩 녹일 수 있다고 한다. 눈이 5 cm 쌓인 상태에서 시간당 12 cm씩 일정하게 눈이 내리고 있다. 보일러를 최대한 가동한다고 할 때, 비닐하우스가 무너지지 않고 버틸 수 있는 시간을 풀이과정과 함께 구하시오. [5점]

• 풀이과정

• 답

평가 영역

□ 수학 사고력 □ 수학 창의성
■ 수학 STEAM

평가 요소

□ 개념 이해력 □ 개념 응용력
□ 유창성 □ 독창성 및 융통성
□ 문제 파악 능력 ■ 문제 해결 능력

교과 영역

□ 수와 연산 ■ 도형 ■ 측정
□ 규칙성 □ 확률과 통계

난이도 ★★★

2 비닐하우스에 30 cm의 눈이 쌓이면 그 무게는 소형 트럭 6대의 무게와 비슷하다고 한다. 폭설에도 비닐하우스가 무너지지 않도록 할 수 있는 아이디어를 열 가지 서술하시오. [10점]

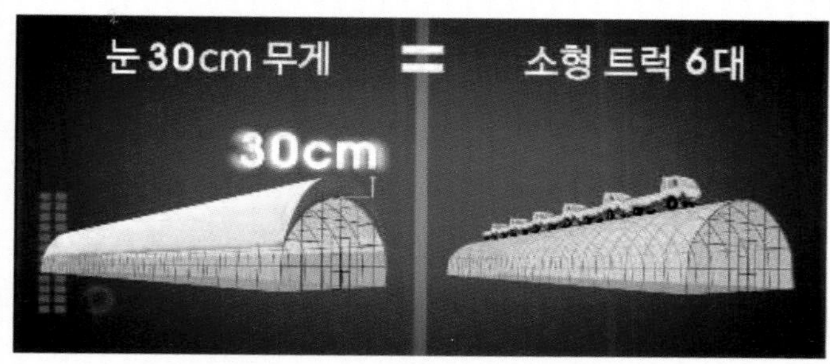

①

②

③

④

⑤

⑥

⑦

⑧

⑨

⑩

수학 5강

다음 기사를 읽고 물음에 답하시오.

기사

개장 초기 피서객의 발길이 뜸했던 부산 해운대 해수욕장에 5일 올해 들어 처음으로 하루 10만여 명의 인파가 다녀갔다. 이날 오후 해운대 해수욕장에 줄지어 늘어서 있는 파라솔 아래에서 피서객들이 자리를 깔고 더위를 식히고 있다. 아직은 차가운 바닷물이지만 파도에 박자를 맞춰 발을 담가보는 피서객들의 웃음소리도 백사장 곳곳에서 터져 나왔다. 땀을 흘리며 비치발리볼을 하는 외국인들과 백사장에 드러누워 몸을 그을리는 젊은이들까지. 지난달 개장 이후 침체했던 해운대 해수욕장의 분위기가 다시 활기를 찾았다. 이날 하루 해운대 해수욕장을 찾은 피서객은 10만여 명으로 올 여름 들어 처음으로 하루 10만 명을 넘어섰다. 광안리와 다대포, 송도, 송정 등 나머지 6개 해수욕장에도 피서객들의 발길이 이어졌다.

평가 영역

□ 수학 사고력 □ 수학 창의성
■ 수학 STEAM

평가 요소

□ 개념 이해력 □ 개념 응용력
□ 유창성 □ 독창성 및 융통성
■ 문제 파악 능력 □ 문제 해결 능력

교과 영역

■ 수와 연산 □ 도형 ■ 측정
□ 규칙성 □ 확률과 통계

난이도 ★ ★ ☆

1 올해 처음 해운대 해수욕장에 10만 명이 넘는 인파가 다녀갔다고 한다. 이처럼 정확하지 않은 인파를 대략적인 수로 표현하는 이유를 두 가지 서술하시오. [5점]

평가 영역

□ 수학 사고력 □ 수학 창의성
■ 수학 STEAM

평가 요소

□ 개념 이해력 □ 개념 응용력
■ 유창성 □ 독창성 및 융통성
□ 문제 파악 능력 ■ 문제 해결 능력

교과 영역

■ 수와 연산 □ 도형 ■ 측정
□ 규칙성 □ 확률과 통계

난이도 ★★★

2 해운대 인파나 거리 응원에 모인 사람들의 수를 추산하기 위해 사용되는 방법은 '페르미 추정법'이다. 이 방법은 논리적인 사고를 바탕으로 제한된 정보를 활용해 대략적인 결과를 추산해 내는 방법이다. 정확한 값을 알 수는 없지만, 페르미 추정법으로 그 결과를 추산할 수 있는 재미있는 주제를 다섯 가지 쓰고 한 가지 주제를 해결하시오. [10점]

• 주제

①

②

③

④

⑤

• 해결

수학 5강

안쌤의 창의적 문제해결력
파이널 수학 50제
5강

50제 시리즈로 대비할 수 있는

수학 대회 안내

- 9월 영재교육 대상자 선발
  - 교육청 주최
- 기출문제 및 예시문제

영재교육 대상자 선발

영재교육원 종류 및 시기

기관	선발 방법	선발 시기
교육지원청 영재교육원	창의적 문제해결력 및 면접 평가	11월~12월
단위학교 영재교육원	창의적 문제해결력 및 면접 평가	11월~12월
직속기관 영재교육원	창의적 문제해결력 및 면접 평가	11월~12월
영재학급	창의적 문제해결력 및 면접 평가	2월~3월
대학부설 영재교육원	창의적 문제해결력 및 면접 평가	8월~11월

※ 지역별로 선발 과정이 다를 수 있으니 반드시 해당 영재교육원 모집 공고를 확인하세요.

일정 및 방법

• **교육지원청 영재교육원 및 직속기관, 단위학교 영재교육원**

단계	주관	일정	세부 내용
지원 단계	학생	11월	• GED에서 지원서 , 자기체크리스트 작성 • 지원서를 출력하여 소속 학교 담임교사에게 제출
추천 단계	소속 학교	11월	• 담임교사 학생 지원 자료 확인 및 창의적인성검사 제출 • 학교추천위원회 학교별 지원자 명단 확인 후 최종 추천
창의적 문제해결력 및 면접 평가 단계	교육지원청	12월	• 창의적 문제해결력 및 면접 평가 실시
최종 합격자 발표	교육지원청	12월	• 아래 합산 성적순 – 교사 체크리스트 : 20점 – 창의적 문제해결력 평가 : 70점 – 면접 : 10점

유의 사항

• 동일 교육청 소속 영재교육원 중복 지원 불가
• 동일 학년도 내에서 영재교육기관 합격자는 타 영재교육기관에 지원 불가
• 중복 지원이 허용되는 경우 중복 합격이 가능하지만 중복 등록은 불가

<창의적 문제해결력>

예시문제

[I] 오각형이 다음과 같이 겹쳐진 채로 그려져 있다. 겹쳐진 오각형의 개수에 따라 생기는 점의 개수와 나누어진 면의 개수에 관한 표를 만들고 그 규칙을 서술하시오.

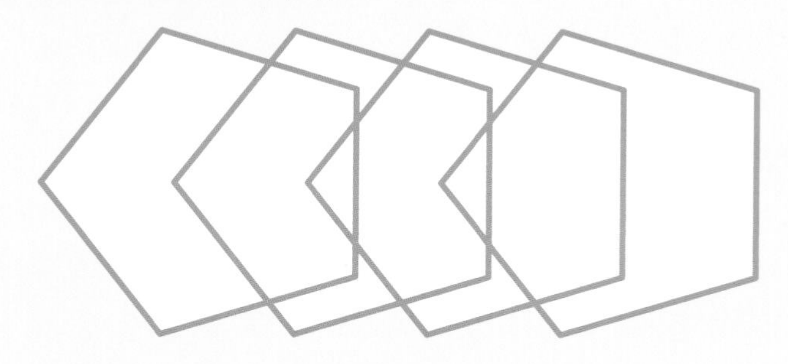

[모범답안]

<겹쳐진 오각형의 개수에 따라 생기는 점의 개수와 나누어진 면의 개수>

겹쳐진 오각형의 개수	2	3	4
점의 개수	2	6	10
면의 개수	3	7	11

<규칙> 겹쳐진 오각형의 개수가 1개씩 늘어남에 따라 생기는 점의 개수와 나누어진 면의 개수 모두 4개씩 증가한다.

[II] ◯ 안에 사칙계산(+, −, ×, ÷)을 한 번씩 사용하여 계산한 값이 최소일 때, 그 계산식과 값을 구하시오.

$$\frac{1}{2} \bigcirc \frac{2}{3} \bigcirc \frac{3}{4} \bigcirc \frac{4}{5} \bigcirc \frac{5}{6} = \square$$

[모범답안] $\frac{1}{2}\times\frac{2}{3}+\frac{3}{4}-\frac{4}{5}\div\frac{5}{6}=\frac{1}{3}+\frac{3}{4}-\frac{24}{25}=\frac{(1\times4\times25)+(3\times3\times25)-(24\times3\times4)}{300}=\frac{100+225-288}{300}=\frac{37}{300}$

[해설] 각각의 수를 곱해 가장 작은 수가 되는 곳에 곱셈 기호를 넣고, 남은 수 중 나누기를 통해 가장 큰 수를 만들어 빼면 계산 값이 최소가 된다. 이에 알맞은 사칙계산 부호를 넣어 계산한다.

[Ⅲ] 다음 물음에 답하시오.

① 한 번 접어서 같은 모양이 되는 글자와 두 번 접어도 같은 모양이 되는 글자를 쓰시오.

[모범답안]

<한 번 접어서 같은 모양이 되는 글자>

마, 먀, 머, 며, 모, 묘, 무, 뮤, 므, 미, 보, 뵤, 부, 뷰, 브, 소, 쇼, 수, 슈, 스, 아, 야, 어, 여, 오, 요, 우, 유, 으, 이, 조, 죠, 주, 쥬, 즈, 초, 쵸, 추, 츄, 츠, 타, 탸, 터, 텨, 티, 파, 퍄, 퍼, 펴, 포, 표, 푸, 퓨, 프, 피, 호, 효, 후, 휴, 흐, 몸, 뭄, 뮴, 믐, 몹, 뭅, 못, 묫, 뭇, 뮷, 믓, 몽, 뭉, 뭏, 봄, 붐, 븀, 븜, 봅, 붑, 븝, 봇, 붓, 븃, 븟, 봉, 붕, 븅, 붚, 솜, 숌, 숨, 슘, 슴, 솝, 숍, 숩, 슙, 솟, 숏, 숫, 슛, 슷, 송, 숑, 숭, 슝, 승, 숯, 숲, 오, 옹, 웅, 융, 응, 옵, 욥, 웁, 윱, 읍, 옷, 욧, 웃, 윳, 읏, 옹, 용, 웅, 융, 응, 읒, 옻, 윷, 읓, 읖, 읗, 좀, 줌, 쥼, 즘, 좁, 줍, 즙, 좃, 줏, 즛, 좇, 좋, 촘, 춈, 춤, 츔, 츰, 촙, 춉, 츱, 촛, 춧, 츳, 폼, 품, 퓸, 픔, 폽, 푭, 풉, 픕, 폿, 푯, 풋, 퓻, 픗, 퐁, 풍, 퓽, 홈, 훔, 흄, 흠, 홉, 횹, 흡, 홋, 효, 훗, 흇, 흣, 홍, 훙, 흉, 흥

<두 번 접어도 같은 모양이 되는 글자> 응, 믐

② 자음과 모음 중 하나를 골라 두 글자 단어를 만든 뒤 그 단어가 나타내는 물체를 그림으로 그리고 그림에서 단어를 구성하는 자음이나 모음을 찾아 표시하시오.

[모범답안]

<자음> ㅇ

<단어> 가위

<그림> 가위 손잡이에서 ㅇ을 찾을 수 있다.

[Ⅳ] 왼쪽 표는 734×38=27892를 계산한 결과이다. 왼쪽 표의 계산 방법을 설명하고, 오른쪽 빈칸에 곱셈식을 완성하시오.

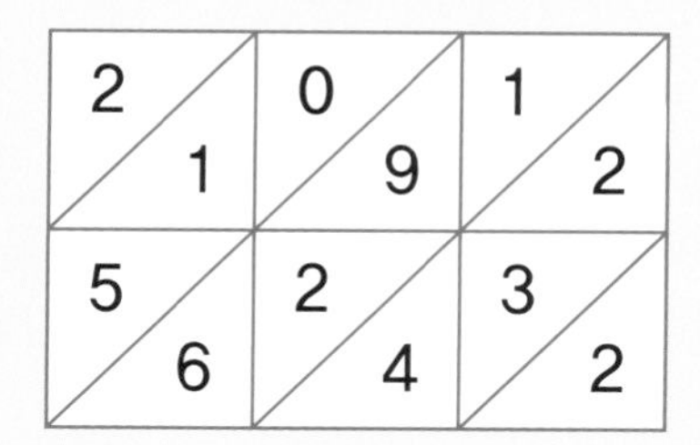

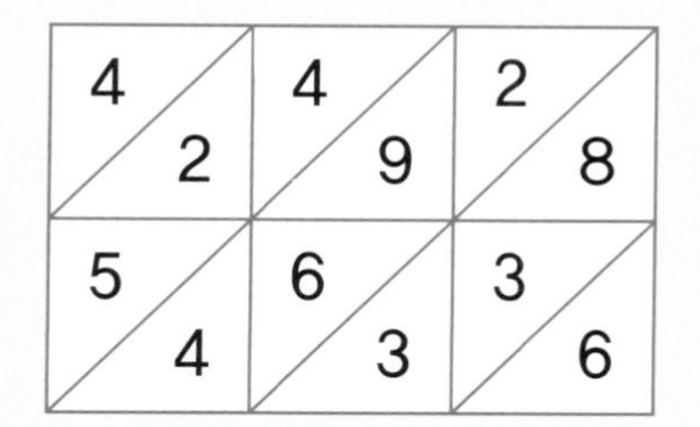

734×38=27892　　　　　□×□=□

[모범답안]

<계산 방법>

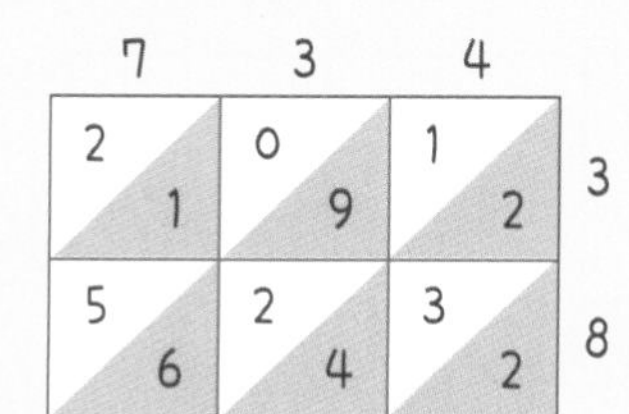

7, 3, 4, 3, 8을 순서대로 쓰고, 각 칸의 가로, 세로에 해당하는 수를 곱한 결과를 격자에 한 자리씩 쓴다.

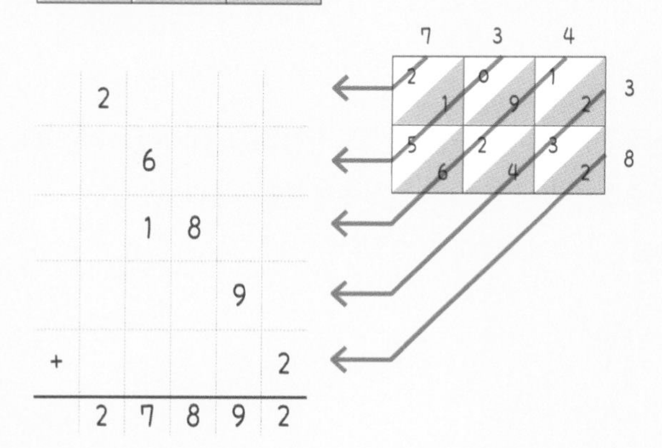

격자에 쓴 수를 화살표 방향으로 더한다.
더한 값인 2, 6, 18, 9, 2는 각각 만의 자리, 천의 자리, 백의 자리, 십의 자리, 일의 자리가 된다. 자릿값에 맞게 수를 더하면 27892가 된다.

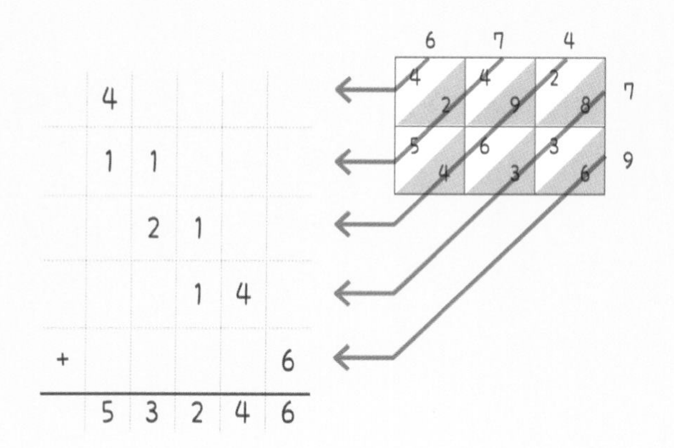

<곱셈식>
674×79=53246

[해설] 복잡한 곱셈식의 수를 격자에 차례대로 써서 쉽고 빠르게 계산할 수 있는 방법을 격자 곱셈법이라고 한다.

[V] **다음과 같은 게임을 할 때 처음 시작하는 사람이 항상 이기기 위한 전략을 서술하시오.**

[게임 방법]

① 그림과 같이 여덟 개의 사각형 안에 3개의 동전을 놓는다.

② 두 명이 순서대로 한 번씩, 사각형 안의 아무 동전이나 왼쪽으로 한 칸 옮긴다.

③ 동전은 같은 칸에 두 개 이상 있을 수 있으며, 같은 칸에 있는 동전은 모두 한꺼번에 옮긴다.

④ (가)의 상태에서 처음 시작하여 (나)의 상태가 되면 게임이 끝난다.

⑤ 마지막에 동전을 옮긴 사람이 승리한다.

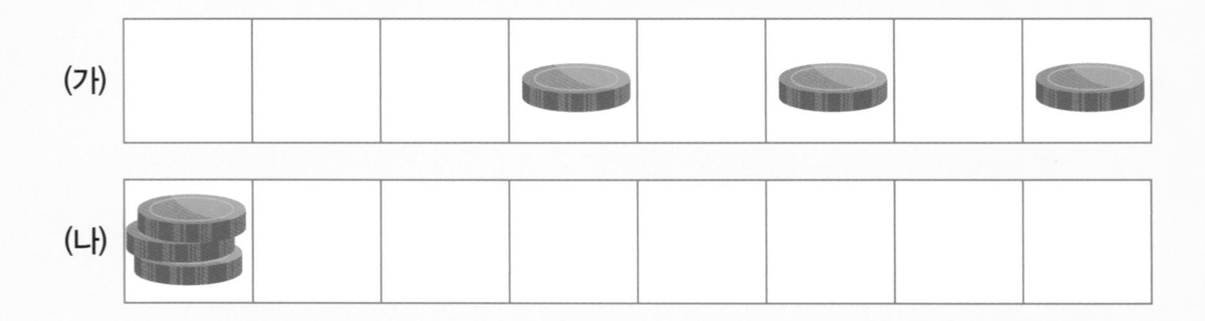

[모범답안] 먼저 시작한 사람이 마지막 동전을 옮기기 위해서는 동전이 이동한 칸의 수를 모두 합한 값이 홀수가 되어야 한다. 3개의 동전이 이동해야 하는 칸은 3, 5, 7칸이므로 3개의 동전이 서로 같은 칸에 들어가지 않도록 동전을 이동시켜야 한다.

[해설] 동전 2개 또는 3개가 같은 칸에 들어가면 동전이 이동하는 칸의 수가 짝수가 될 수 있다.

[VI] 주사위의 눈의 배열이 같은 3개의 주사위를 다음 그림과 같이 쌓았다. 주사위끼리 만나는 면에 있는 눈의 합이 각각 8일 때, ①번과 ②번 방향에서 본 주사위 모양을 각각 그리시오.

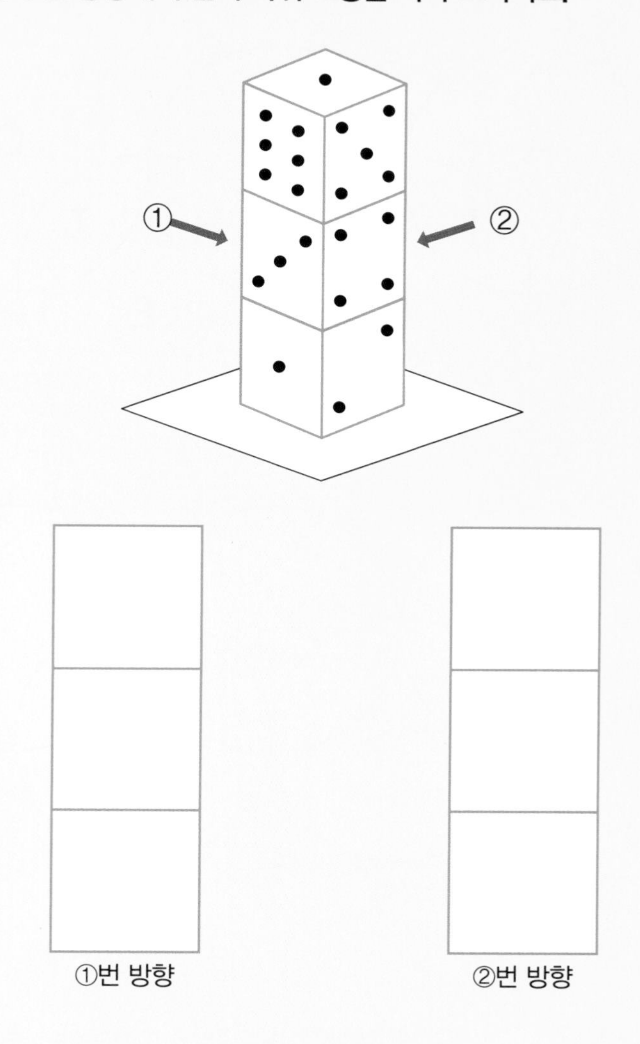

[모범답안]

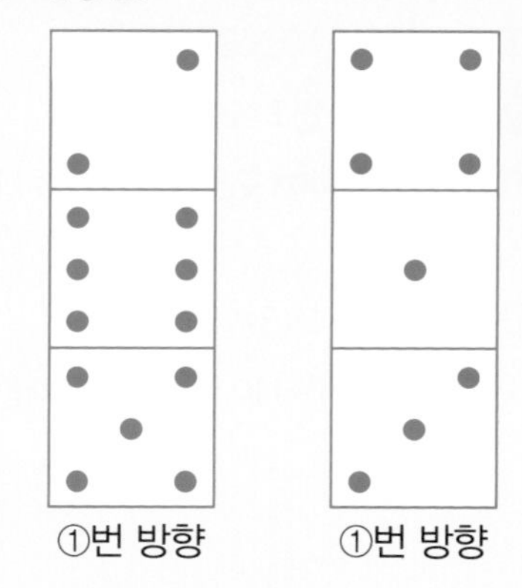

[해설] 3층 주사위 윗면의 눈의 수가 1인 반대쪽 면에 올 수 있는 눈의 수는 3 또는 4이다. 그런데 2층 주사위 옆면에 눈의 수가 4인 면이 있으므로 3층 주사위와 2층 주사위가 만나는 면에 있는 눈의 합이 8이 되려면 눈의 수가 1인 반대쪽 면 눈의 수는 3이고, 2층 주사위 윗면 눈의 수는 5가 되어야 한다. 따라서 주어진 주사위 모양으로 주사위 눈의 수를 전개도로 나타내면 다음과 같다. 2층 주사위 아랫면 눈의 수가 2이므로 1층 주사위 윗면 눈의 수는 6이다.

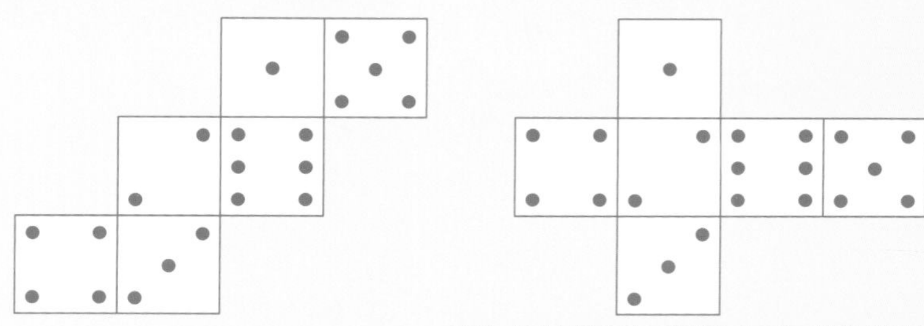

[Ⅶ] 다섯 개의 원을 그림처럼 배열하여 A~I의 9개 영역을 만들었다. 각각의 영역에 1~9의 숫자를 1개씩 넣어 모든 원 안의 수의 합이 서로 같아지도록 하고, 그 과정을 논리적으로 서술하시오.

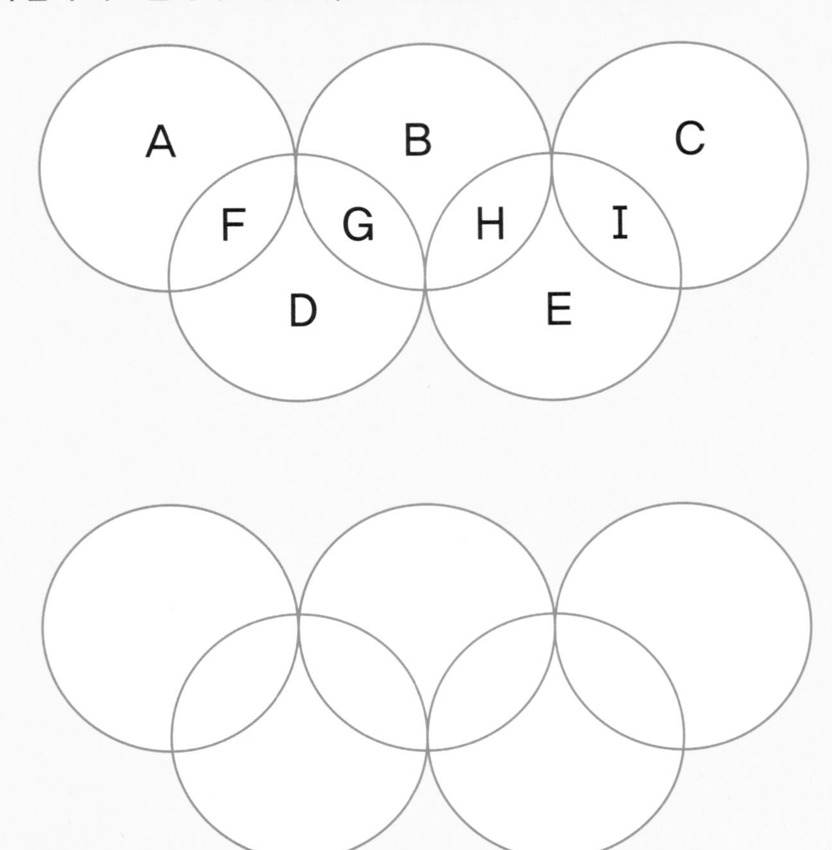

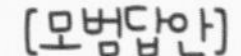

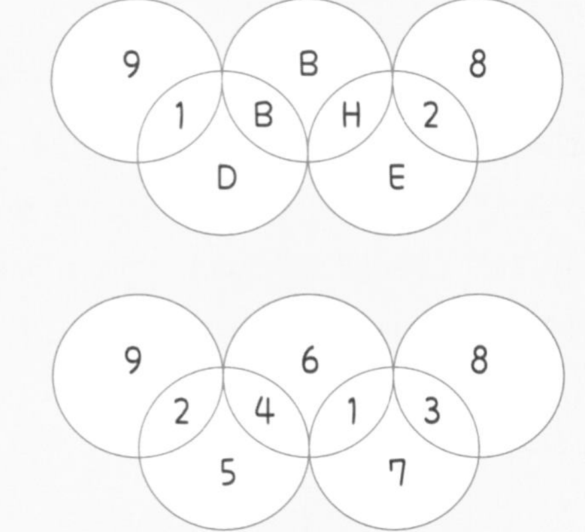

원 2개가 겹치는 부분인 F, G, H, I에는 낮은 숫자인 1, 2, 3, 4를 넣고,
겹치지 않는 부분인 A, B, C, D, E에는 높은 숫자인 5, 6, 7, 8, 9를 넣는다.
A와 C를 포함한 원은 수가 두 개이므로 가장 큰 수인 9와 8을 넣는다.
만약 A = 9, F = 1이고 원 안의 수의 합을 10으로 하면 I = 2가 되고,
1, 2를 제외한 두 개의 수(G,H)가 B(5, 6, 7)과 더해져 원 안의 수의 합이 10이 될 수 없으므로 성립하지 않는다.
만약 A = 9, F = 2이고 원 안의 수의 합을 11로 하면 I = 3이 되고,
E = 7, B = 6, G = 4, D = 5가 되므로 원 안의 수의 합이 10으로 모두 같아진다.

[Ⅰ] 다른 아이들과 어울리지 못하는 아이의 그림 상황을 보고 이때 나라면 어떻게 할 것인지 말해보시오.

(해설) 인성 면접 문제이다. 영재원에서는 대부분 팀으로 탐구하므로 갈등 해소 능력, 겉도는 친구를 포용하는 마음, 다른 사람의 감정을 공감하는 능력 등을 확인하는 질문이 많이 나온다. 미리 적절한 답안을 생각해보는 것이 좋다.

[Ⅱ] 돌을 운반하여 돈을 버는 아프리카 아이들을 도와줄 수 있는 방법을 말해보시오.

(모범답안)
①여러 구호단체의 모금 활동, 기부, 후원을 통해 돕는다.
②아프리카 어린이를 위해 편지를 쓴다.
③아프리카의 상황을 주변 사람들에게 알린다.
(해설) 어른이 되어서 돈을 벌어서 도와주겠다는 생각보다 지금 내가 할 수 있는 작은 도움을 생각해보는 것이 좋다.

[Ⅲ] 조별 과제를 진행하는데 한 친구가 참여하지 않고 있다면 어떻게 할 것인지 말해보시오.

(해설) 인성 면접의 경우에 영재원에서는 대부분 팀으로 탐구하므로 갈등 해소 능력, 겉도는 친구를 포용하는 마음, 다른 사람의 감정을 공감하는 능력 등을 확인하는 질문이 많다. 평상시 다른 사람을 배려하는 훈련, 나와 다른 차이점을 수용하는 마음 등을 길러 왔다면 충분히 답할 수 있다.

[Ⅳ] 실험에서 우리 조만 다른 조와 다른 결과가 나왔다면 어떻게 할 것인지 말해보시오.

(해설) 실험 결과는 가설에 맞게 변인 통제를 잘 해야 옳은 결과를 얻을 수 있다. 우리 조만 다른 조와 다른 결과가 나왔다면 가설에 맞게 변인 통제가 잘 되었는지 확인해야 한다. 변인 통제를 잘못하여 다른 조와 실험 결과가 다를 때는 다시 실험을 할 수 있는 시간과 여건이 된다면 변인 통제를 제대로 해서 실험을 하고, 다시 실험을 할 수 있는 시간과 여건이 되지 않는다면 변인 통제에서 실수한 부분으로 인한 실험 결과에 대한 실험 보고서를 작성한다.

융합인재교육 STEAM 이란?

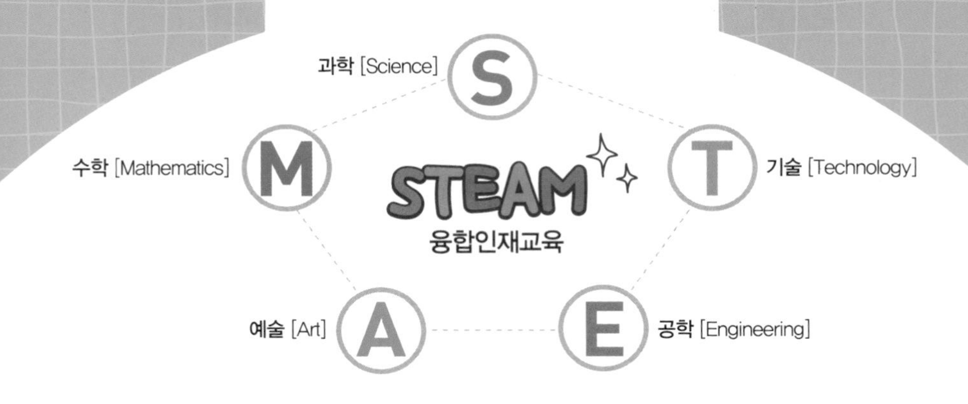

· 수학, 과학, 기술, 공학 간 상호 연계성 고려, 학문 간 공통 핵심 요소 중심으로 교육
· 예술적 소양을 함양하고 타 학문에 대한 이해가 깊은 미래형 인재 양성으로 교육
[자료 출처 : 한국과학창의재단]

융합인재교육은 과학기술공학과 관련된 다양한 분야의 융합적 지식, 과정, 본성에 대한 흥미와 이해를 높여 창의적이고 종합적으로 문제를 해결할 수 있는 융합적 소양(STEAM Literacy)을 갖춘 인재를 양성하는 교육이라고 정의하고 있다. 학습자가 실제 문제 상황을 다양하게 설계하고 해결하는 과정을 통해 새로운 개념을 생성하고, 창의적으로 설계하며, 더불어 사는 인성, 즉 사회적 감성을 발달하도록 하는 것이다.
이러한 융합인재교육(STEAM)의 목적은 다음과 같이 정리할 수 있다.

- 빠르게 변화하는 사회 변화의 적응력을 높이는 것이다.
- 개인의 창의인성, 지성과 감성의 균형 있는 발달을 돕는 것이다.
- 타인을 배려하고 협력하며, 소통하는 능력을 함양하는 것이다.
- 과학 효능감과 자신감, 과학에 대한 흥미 등을 증진시킴으로써 과학 학습에 대한 동기 유발을 높이는 것이다.
- 융합적 지식 및 과정의 중요성을 인식시키는 것이다.
- 학습자 중심의 수평적 융합적 교육으로 전환하는 것이다.
- 합리적이고 다양성을 인정하는 문화 형성에 기여하는 것이다.
- 대중의 과학화를 기반으로 한 합리적인 사회를 구성하는 데 기여하는 것이다.
- 창조적 협력 인재를 양성하는 것이다.
- 수학, 과학, 기술, 공학 간 상호 연계성 고려, 학문 간 공통 핵심 요소 중심으로 교육
- 예술적 소양을 함양하고 타 학문에 대한 이해가 깊은 미래형 인재 양성으로 교육

안쌤의
줄기과학 시리즈

새 교육과정
3~4학년
학기별
STEAM 과학

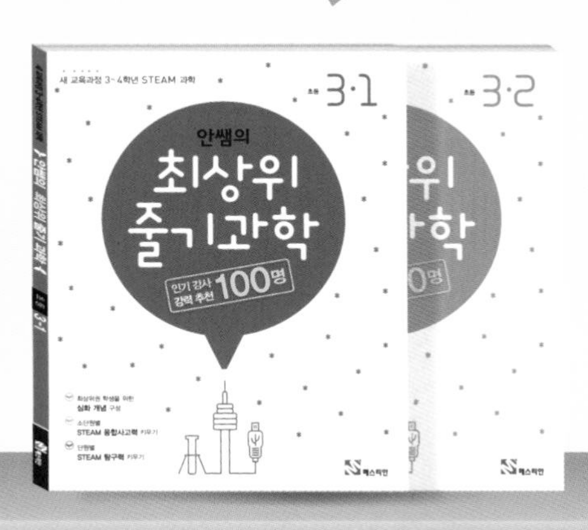

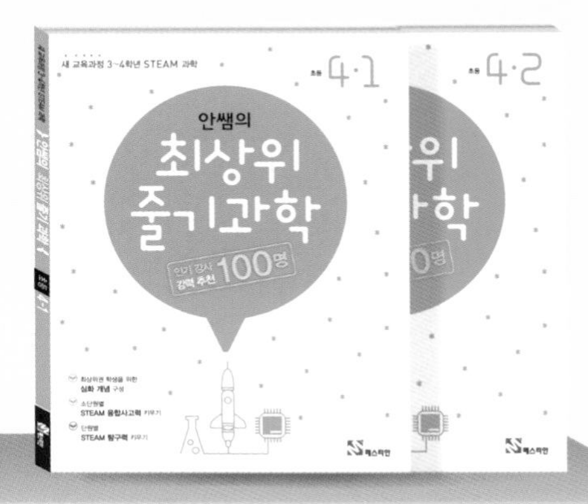

3-1 8강 3-2 8강 4-1 8강 4-2 8강

새 교육과정
5~6학년
학기별
STEAM 과학

5-1 8강 5-2 8강 6-1 8강 6-2 8강

새 교육과정
중등 영역별
STEAM 과학

물리학 24강 화학 16강 생명과학 16강 지구과학 16강 물리학 워크북 화학 워크북

영재교육원 영재학급 관찰추천제 대비

5일 완성 프로젝트

파이널

안쌤의 창의적 문제해결력

수학 50제

정답 및 해설

파이널 50제 5강 구성

★ 영재성검사, 창의적 문제해결력 평가 및 검사,
창의탐구력 검사에 공통으로 출제되는 수학 사고력,
수학 창의성, 수학 STEAM(융합사고) 문제 유형으로 구성

★ 서술형 채점 기준으로 자신의 답안을 채점하면서
답안 작성 능력을 향상시킬 수 있도록 구성

중등 1~2 학년

부록 |

50제 시리즈로 대비할 수 있는
수학 대회 안내

영재교육원 선발에 대한 안내와 기출 유형 문제 수록

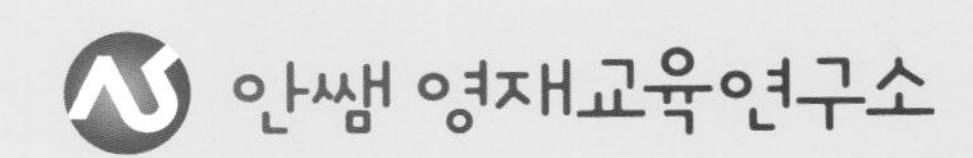

상위 1%가 되는 길로 안내하는 이정표로,
학생들이 꿈을 이루어갈 수 있도록 콘텐츠 개발과 강의 연구를 하고 있다.

저자 **안쌤 영재교육연구소**
안재범, 최은화, 유나영, 이상호, 추진희, 오아린, 허재이, 이민숙, 이나연, 김혜진, 김샛별

검수
강동규, 안혜정, 이미영, 이수연, 전익찬, 정영숙

이 교재에 도움을 주신 선생님
강수남, 강영미, 권영경, 김영균, 김정환, 김지영, 김진선, 김진영, 김형진, 김혜선, 김훈겸, 노관호,
류수진, 박기훈, 박미경, 박선재, 박은미, 박지숙, 송경화, 어유선, 오소영, 윤소영, 이경미, 이석영,
이아란, 이진실, 장시영, 전익찬, 전정희, 전현정, 정영숙, 정회은, 조지흔, 최지유, 한현정, 홍애순

영재교육원 영재학급 관찰추천제 대비

5일 완성 프로젝트

파이널

안쌤의 창의적 문제해결력

수학 50제

정답 및 해설

중등 1~2 학년

수학 1강

문항 구성 및 채점표

문항 \ 평가영역	수학 사고력		수학 창의성		수학 STEAM	
	개념 이해력	개념 응용력	유창성	독창성 및 융통성	문제 파악 능력	문제 해결 능력
1	점					
2	점					
3	점					
4		점				
5		점				
6			점			
7			점			
8			점	점		
9					점	점
10					점	점

평가영역별 점수	개념 이해력	개념 응용력	유창성	독창성 및 융통성	문제 파악 능력	문제 해결 능력
	수학 사고력		수학 창의성		수학 STEAM	
	/ 40점		/ 30점		/ 30점	

총점	

평가 결과에 따른 학습 방향

영역	점수	학습 방향
사고력	35점 이상	정확하게 답안을 작성하는 연습을 하세요.
	24~34점	교과 개념과 연관된 응용문제로 문제 적응력을 기르세요.
	23점 이하	틀린 문항과 관련된 교과 개념을 다시 공부하세요.
창의성	26점 이상	보다 독창성 및 융통성 있는 아이디어를 내는 연습을 하세요.
	18~25점	다양한 관점의 아이디어를 더 내는 연습을 하세요.
	17점 이하	적절한 아이디어를 더 내는 연습을 하세요.
STEAM	26점 이상	답안을 보다 구체적으로 작성하는 연습을 하세요.
	18~25점	문제 해결 방안의 아이디어를 다양하게 내는 연습을 하세요.
	17점 이하	실생활과 관련된 수학 기사로 수학적 사고를 확장하는 연습을 하세요.

정답 및 해설

모범답안

01

• 풀이과정

시침은 1시간에 30°를 움직이므로 1분에 $\frac{1}{2}$°를 움직이고,

분침은 1시간에 한 바퀴를 움직이므로 1분에 6°를 움직인다.

4분간 분침의 이동 각도는 $4\times6°=24°$, 8분간 시침의 이동 각도는 $\frac{1}{2}°\times8=4°$이다.

4분 후 분침과 8분 전의 시침이 이루는 각이 직각이므로
현재 분침과 시침이 이루는 각도는 $90°-24°-4°=62°$이다.
11시 정각에 시침과 분침이 이루는 각도는 30°이고 지금 시각이 11시와 11시 30분 사이에 있으므로
현재의 시각을 11시 x분이라고 하면,

분침의 이동 각도는 $6x°$, 시침의 이동 각도는 $\frac{1}{2}x°$이다.

따라서 $30°+6x°-\frac{1}{2}x°=62°$, $\frac{11}{2}x=32$, $11x=64$, $x=\frac{64}{11}=5\frac{9}{11}$ 이다.

현재 시각은 11시 $5\frac{9}{11}$분이다.

• 답 : 11시 $5\frac{9}{11}$ 분

요소별 채점 기준	점수
풀이과정을 바르게 서술한 경우	6점
답을 구한 경우	2점

[해설]

시침은 12시간 동안 한 바퀴를 움직이므로 1시간 동안 움직이는 각도는 $\frac{1}{2}$°이다.
분침은 1시간(60분)마다 한 바퀴를 움직이므로 1분 동안 움직이는 각도는 6°이다. 이 내용은 문제를 해결하는 데 필요한 내용이므로 확실히 이해하고 암기해 두는 것이 좋다.

모범답안

• 풀이과정

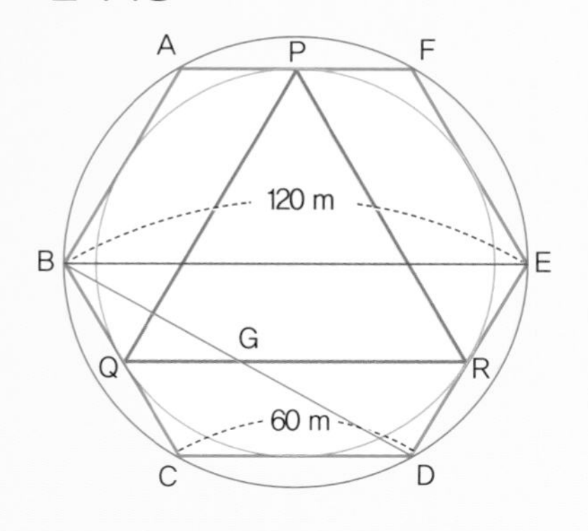

경수, 연주, 다희 세 사람이 위치한 점을 P, Q, R이라고 하면 △PQR은 항상 정삼각형이고, 다음과 같이 P, Q, R이 각각 $\overline{AF}$, $\overline{BC}$, $\overline{DE}$의 중점에 있을 때, △PQR의 넓이가 최소가 된다. △PQR이 정육각형 ABCDEF의 내접원 위에 있기 때문이다.
이때, 삼각형의 중점 연결 정리에 의해

$\overline{QR}=\overline{QG}+\overline{GR}=\frac{1}{2}\overline{CD}+\frac{1}{2}\overline{BE}$

$=30\text{ m}+60\text{ m}=90\text{ m}$이다.

• 답 : 90 m

요소별 채점 기준	점수
풀이과정을 바르게 서술한 경우	6점
답을 구한 경우	2점

[해설]

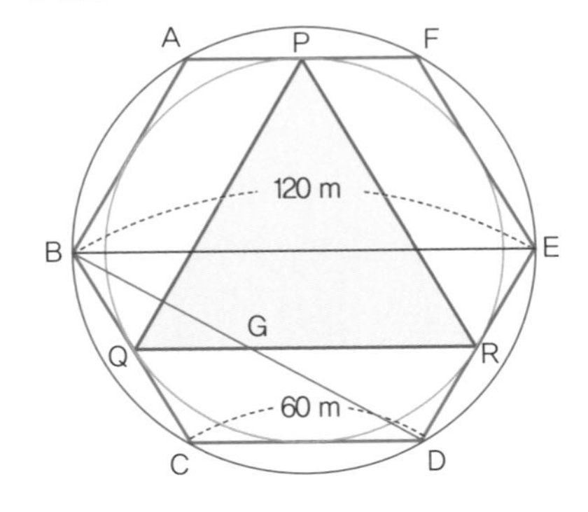

삼각형의 두 변의 중점을 연결한 선분은 나머지 하나의 변과 평행하고, 그 길이는 나머지 변의 길이의 $\frac{1}{2}$이라는 것이 삼각형의 중점 연결 정리이다. 중점 연결 정리는 사다리꼴에서도 성립한다.

□BCDE에서 점 Q와 점 R은 $\overline{BC}$와 $\overline{DE}$의 중점이므로

$\overline{QR}=\frac{1}{2}(\overline{CD}+\overline{BE})=\frac{1}{2}(60\text{ m}+120\text{ m})=90\text{ m}$으로 문제를 해결할 수도 있다.

모범답안

03

• **풀이과정**

1번 자를 때 : $(1+1)=2$

2번 자를 때 : $(1+1)\times(1+1)=4$

3번 자를 때 : $(1+1)\times(1+1)\times(1+1)=8$

4번 지를 때 : $(2+1)\times(1+1)\times(1+1)=12$

5번 자를 때 : $(2+1)\times(2+1)\times(1+1)=18$

6번 자를 때 : $(2+1)\times(2+1)\times(2+1)=27$

$3n+1$번 자를 때 : $(n+2)\times(n+1)\times(n+1)$

$3n+2$번 자를 때 : $(n+2)\times(n+2)\times(n+1)$

$3n+3$번 자를 때 : $(n+2)\times(n+2)\times(n+2)$

35는 $3\times11+2$이므로 35번 자른 후 생기는 직육면체의 개수는

$(11+2)\times(11+2)\times(11+1)=2028$(개)이다.

• **답 :** 2028개

요소별 채점 기준	점수
풀이과정을 바르게 서술한 경우	6점
답을 구한 경우	2점

[해설]

자르는 규칙에 의해 만들어지는 직육면체의 개수를 구하는 방법을 찾는다. 자르는 방법 3가지가 반복되므로 이를 이용해 규칙을 찾는다.

모범답안

04

• **풀이과정**

$a<b<c<d$이고, $a\times c<0$, $b\times d<0$이므로 $a<0$, $b<0$, $c>0$, $d>0$이다.

따라서 주어진 조건을 만족하는 임의의 유리수에 대하여 대소 관계가 성립해야 하므로

$a=-2$, $b=-1$, $c=1$, $d=2$라고 가정하면

$\frac{1}{a}=-\frac{1}{2}$, $\frac{1}{b}=-1$, $\frac{1}{c}=1$, $\frac{1}{d}=\frac{1}{2}$이다.

따라서 $-1<-\frac{1}{2}<\frac{1}{2}<1$이므로 $\frac{1}{b}<\frac{1}{a}<\frac{1}{d}<\frac{1}{c}$이다.

• **답 :** $\frac{1}{b}$, $\frac{1}{a}$, $\frac{1}{d}$, $\frac{1}{c}$

요소별 채점 기준	점수
풀이과정을 바르게 서술한 경우	6점
답을 구한 경우	2점

[해설]

주어진 조건을 만족하는 임의의 유리수에 대하여 대소 관계가 성립해야 하므로

$a=-2$, $b=-1$, $c=1$, $d=2$라고 가정하여 a, b, c, d의 값을 $\frac{1}{a}$, $\frac{1}{b}$, $\frac{1}{c}$, $\frac{1}{d}$에 대입하여 계산해 보면 $\frac{1}{a}$, $\frac{1}{b}$, $\frac{1}{c}$, $\frac{1}{d}$의 대소 관계를 쉽게 알 수 있다. 이처럼 a, b, c, d의 대소 관계가 명확할 때, 미지수를 음의 정수나 양의 정수로 가정하여 계산하면 대소 관계를 쉽게 비교할 수 있다.

모범답안

05

• **풀이과정**

네 자리 수 2개를 더해서 나올 수 있는 만의 자리의 숫자는 1밖에 없으므로 G=1이다.

문제에서 주어진 조건 M=9, S=8과 G=1을 주어진 식에 대입하면

		B	A	8	E
+		B	A	L	L
	1	A	9	E	8

E+L=8 ……㉠

8+L=10+E ……㉡

㉠에서 L=8−E이므로 이것을 ㉡에 대입하여 풀면

E=3, L=5이다.

또, 2A+1=9에서 A=4

2B=14에서 B=7이다.

따라서 G+A+M+E+S=1+4+9+3+8=25이다.

• **답 :** 25

요소별 채점 기준	점수
풀이과정을 바르게 서술한 경우	6점
답을 구한 경우	2점

[해설]

문제의 주어진 조건과 덧셈의 받아 올림의 성질을 이용하면 문제를 해결할 수 있다. 또한, 값을 먼저 구할 수 있는 문자부터 차례대로 구해야 문제를 빠르게 풀 수 있다. 만의 자리 숫자인 G가 1이라는 것을 먼저 구하면, $8+L=10+E$라는 식을 끌어낼 수 있다. $E+L$은 18이 될 수 없으므로 $E+L=8$이다. 이 두 식을 연립하여 E와 L의 값을 구하면 나머지 A와 B는 일차방정식을 이용하여 각각 구할 수 있다.

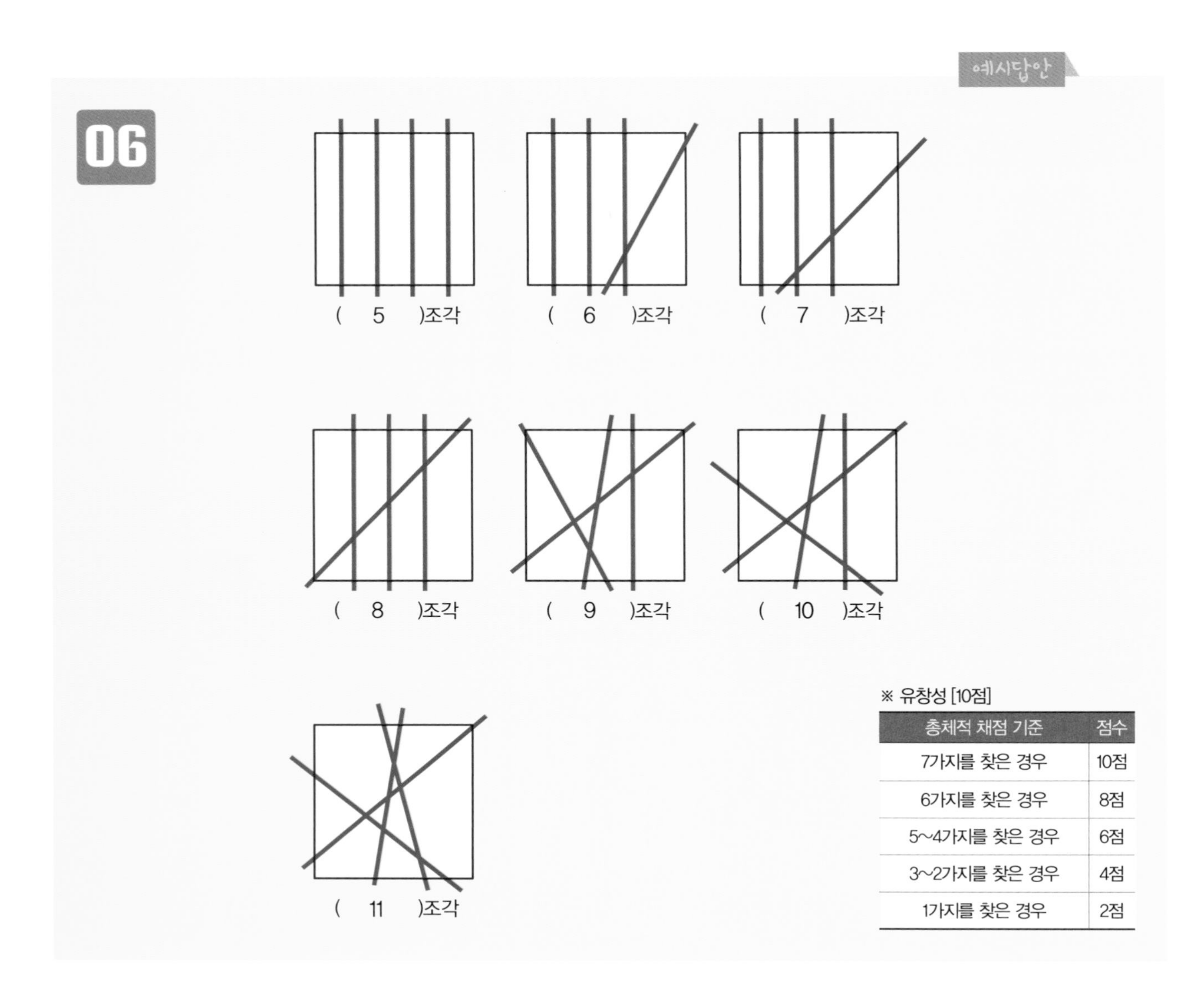

※ 유창성 [10점]

총체적 채점 기준	점수
7가지를 찾은 경우	10점
6가지를 찾은 경우	8점
5~4가지를 찾은 경우	6점
3~2가지를 찾은 경우	4점
1가지를 찾은 경우	2점

[해설]

종이 위의 그려진 선분의 교점 개수에 따라 나누어지는 조각의 개수가 달라진다. 정사각형 모양의 종이 위에 그리는 선분의 개수가 1개, 2개, 3개, 4개, … 증가하면 나누어지는 조각의 최대 개수는 2, 4, 7, 11, … 의 규칙을 이룬다. 즉, n개의 직선으로 나누어지는 조각의 최대 개수는 $1+1+2+3+\cdots+(n-2)+(n-1)+n$이다. 따라서 4개의 선분으로 나누어지는 조각의 최대 개수는 $1+1+2+3+4=11$이므로 11조각이다.

예시답안

07

- 가－나, 나－다, 다－라
- 가－나, 나－라, 라－다
- 가－다, 다－나, 나－라
- 가－다, 다－라, 라－나
- 가－라, 라－나, 나－다
- 가－라, 라－다, 다－나
- 나－가, 가－다, 다－라
- 나－가, 가－라, 라－다
- 나－다, 다－가, 가－라
- 나－라, 라－가, 가－다
- 다－가, 가－나, 나－라
- 다－나, 나－가, 가－라
- 가－나, 가－다, 가－라
- 나－가, 나－다, 나－라
- 다－가, 다－나, 다－라
- 라－가, 라－나, 라－다

※ 유창성 [10점]

총체적 채점 기준	점수
15~16가지 방법을 구한 경우	10점
13~14가지 방법을 구한 경우	8점
11~12가지 방법을 구한 경우	6점
9~10가지 방법을 구한 경우	5점
7~8가지 방법을 구한 경우	4점
5~6가지 방법을 구한 경우	3점
3~4가지 방법을 구한 경우	2점
1~2가지 방법을 구한 경우	1점

[해설]

조건에 맞게 섬 사이에 다리를 놓는 경우의 수는 모두 16가지이다. 다리를 놓으면 가, 나, 다, 라 섬이 일자로 연결되므로 가, 나, 다, 라를 일렬도 배열할 수 있는 경우의 수를 구한다.

□ － □ － □ － □
4가지 × 3가지 × 2가지 × 1가지 ＝24가지

그런데 거꾸로 하면 같은 경우의 수가 나오므로 반으로 나누면 12가지이다.

다리를 일렬로 연결하는 방법 외에 한 섬에서 3개의 다리를 놓아 각 섬을 연결하는 경우가 총 4가지 있으므로 모든 섬을 연결하는 방법의 경우의 수는 12가지＋4가지＝16가지이다.

예시답안

- 수건걸이는 바닥과 평행하다.
- 세면대와 변기에서 직각을 찾을 수 있다.
- 변기 아랫부분의 기둥 모양은 안정적이기 위해 아래로 내려갈수록 넓어지는 각뿔대의 모양을 하고 있다.
- 벽면과 바닥 타일은 빈틈없이 채우기 위해 테셀레이션이 사용되었다.
- 벽에 걸린 두 액자는 서로 합동이다.
- 벽에 걸린 두 액자는 선대칭의 위치에 있다.
- 변기나 세면대, 욕조에는 안전과 편리를 위해 타원 모양이다.
- 두루마리 휴지는 잘 풀리기 위해 회전체 모양이다.
- 욕조 옆의 초나 장식품의 모양은 원기둥 모양을 하고 있다.
- 벽면의 타일은 규칙적으로 배열되어 있어 가로, 세로의 장 수를 알면 사용된 타일의 전체 개수를 쉽게 구할 수 있다.

※ 유창성 [6점]

총체적 채점 기준	점수
10가지를 서술한 경우	6점
9가지를 서술한 경우	5점
7~8가지를 서술한 경우	4점
5~6가지를 서술한 경우	3점
3~4가지를 서술한 경우	2점
1~2가지를 서술한 경우	1점

※ 독창성 및 융통성 [4점]

요소별 채점 기준	점수
도형의 모양을 서술한 경우	2점
도형의 특징을 서술한 경우	2점

[해설]

수학은 우리 주변의 가까운 곳에 있다. 우리 주변에서 흔히 볼 수 있는 욕실의 모습에서 다양한 수학의 원리를 찾을 수 있다.

예시답안

09

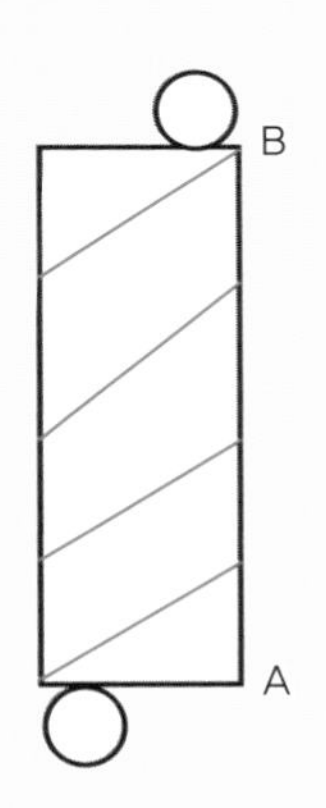

나팔꽃은 덩굴식물로 단단하지 않고 가는 줄기를 가지고 있다. 햇빛을 잘 받아야 잘 자라므로 주변의 물체나 나무줄기 등을 휘감아 오르며 자라는 것이 유리하다.

요소별 채점 기준	점수
전개도를 바르게 그린 경우	2점
휘감아 오르는 이유를 생존 본능과 관련지어 서술한 경우	3점

❷

- 고층 건물이나 실내의 계단 : 좁은 공간에 효율적으로 계단을 만들 수 있다.
- 나사못 : 적은 힘으로 못을 쉽게 박을 수 있다.
- 높은 산의 산길 : 산을 오르기 위해 이동해야 할 거리는 길어지지만 가파른 길을 쉽게 오를 수 있다.
- DNA의 구조 : DNA를 구성하는 물질(염기 : 아데닌, 구아닌, 시토신, 티민)이 단단히 결합할 수 있는 구조이며, 자외선과 같은 외부의 충격이나 공격에 의해 염기가 쉽게 파괴되지 않는다.
- 스프링 : 금속이 줄어들거나 늘어났다가 원래의 크기로 돌아오려는 탄성력을 가질 수 있다.
- 소라나 달팽이 껍질 : 입구가 넓어 드나들기 쉽고, 외부의 충격이나 공격에 강하다.

총체적 채점 기준	점수
한 가지 마다	2점

[해설]

❶ 나팔꽃은 비교적 일정한 간격으로 기둥을 오른쪽으로 휘감고 올라갔다. A에서 B까지 나팔꽃이 기둥을 감은 바퀴 수는 4바퀴이므로 전개도에 나팔꽃이 기둥을 감은 모습을 그리려면 4개의 선분이 필요하다. 나무줄기를 휘감아 오를 때 휘감는 간격이 너무 넓으면 안정적으로 휘감아 오를 수 없고, 너무 좁으면 높이 올라가는 데 많은 시간과 긴 줄기가 필요하므로 적절한 간격으로 최단 거리로 휘감아 오르는 것을 확인할 수 있다.

❷ 우리 주변에서 찾을 수 있는 나선형 구조는 다음과 같다.

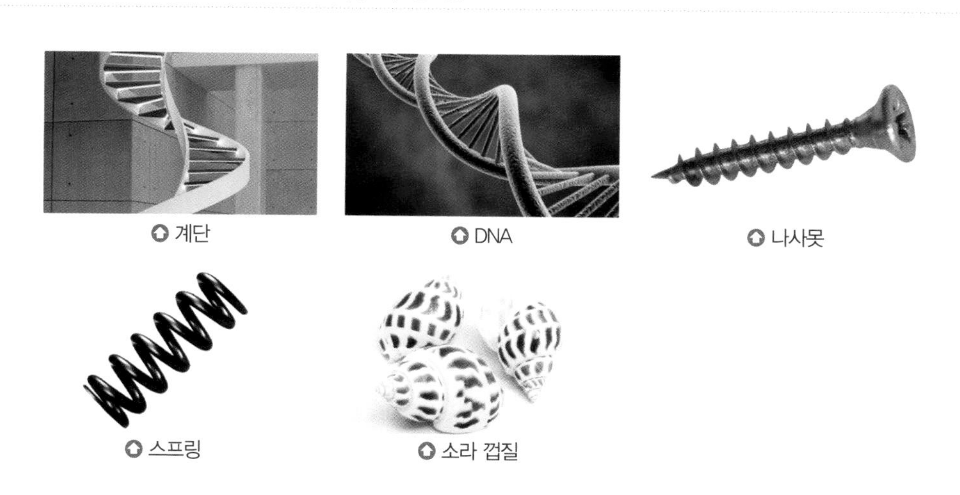

계단 / DNA / 나사못 / 스프링 / 소라 껍질

예시답안

10

❶ 자료 〈가〉가 더 정확한 자료라고 할 수 있다. 자료 〈가〉에서는 실제 관중 수를 사용하여 증가율을 계산하였고, 자료 〈나〉에서는 관중 수를 천의 자리에서 반올림하여 계산하였기 때문에 자료 〈나〉에서는 실제 결과와 다르게 2014년 관중 수의 증가율이 오히려 감소한 것으로 나타난다.

요소별 채점 기준	점수
자료를 바르게 선택한 경우	2점
자료를 선택한 근거가 타당한 경우	3점

❷

- 전쟁에 참여하는 사람은 20~30대의 남자이다. 뉴욕시의 20~30대 남자들의 사망률과 비교하지 않았으므로 주어진 자료를 신뢰할 수 없다.
- 전쟁에서 사망하는 주요 원인과 뉴욕 시민이 사망하는 원인이 전혀 다르므로 두 자료를 비교하는 것은 잘못된 것이다.
- 전쟁을 하지 않는다면 전쟁으로 사망하는 사람의 수가 없을 것이다. 전쟁을 통한 사망은 미리 예방할 수 있는 것이므로 자연적인 사망자 수와 비교하는 것은 바람직하지 않다.

총체적 채점 기준	점수
세 가지 근거를 서술한 경우	10점
두 가지 근거를 서술한 경우	7점
한 가지 근거를 서술한 경우	3점

[해설]

❶ 같은 자료를 가지고 그 자료를 어떻게 정리하는지에 따라 사실과 다른 자료를 만들어 낼 수 있다. 자료를 바탕으로 의사 결정을 방해하거나 의사 결정을 원하는 방향으로 유도할 수 있음을 알고, 자료의 객관성에 대해 항상 주목해야 한다.

❷ 우리는 다양한 정보와 자료가 넘쳐 나는 시대에 살고 있다. 과거와 비교하여 많은 정보와 자료를 쉽게 접할 수 있으므로 의사 결정에 많은 도움이 될 것으로 생각할 수 있지만, 우리가 접하는 정보와 자료가 객관적이고 정확한 것인지 스스로 판단할 수 있어야 한다.

문항 구성 및 채점표

평가영역 / 문항	수학 사고력		수학 창의성		수학 STEAM	
	개념 이해력	개념 응용력	유창성	독창성 및 융통성	문제 파악 능력	문제 해결 능력
11	점					
12	점					
13	점					
14		점				
15		점				
16			점			
17			점			
18			점	점		
19					점	점
20					점	점

평가영역별 점수	개념 이해력	개념 응용력	유창성	독창성 및 융통성	문제 파악 능력	문제 해결 능력
	수학 사고력		수학 창의성		수학 STEAM	
	/ 40점		/ 30점		/ 30점	

총점	

평가 결과에 따른 학습 방향

사고력	35점 이상	정확하게 답안을 작성하는 연습을 하세요.
	24~34점	교과 개념과 연관된 응용문제로 문제 적응력을 기르세요.
	23점 이하	틀린 문항과 관련된 교과 개념을 다시 공부하세요.
창의성	26점 이상	보다 독창성 및 융통성 있는 아이디어를 내는 연습을 하세요.
	18~25점	다양한 관점의 아이디어를 더 내는 연습을 하세요.
	17점 이하	적절한 아이디어를 더 내는 연습을 하세요.
STEAM	26점 이상	답안을 보다 구체적으로 작성하는 연습을 하세요.
	18~25점	문제 해결 방안의 아이디어를 다양하게 내는 연습을 하세요.
	17점 이하	실생활과 관련된 수학 기사로 수학적 사고를 확장하는 연습을 하세요.

모범답안

• **풀이과정**

연속하는 세 자연수를 $n-1$, n, $n+1$이라 하면 $n-1+n+n+1=3n$이고

$3n$은 17의 배수이므로 n은 17의 배수이다.

이때 n은 100보다 작아야 하므로 n이 될 수 있는 자연수는 17, 34, 51, 68, 85이다.

따라서 이 조건을 만족하는 세 자연수의 쌍은

(16, 17, 18), (33, 34, 35), (50, 51, 52), (67, 68, 69), (84, 85, 86)의 모두 5쌍

이다.

• **답 :** (16, 17, 18), (33, 34, 35), (50, 51, 52), (67, 68, 69), (84, 85, 86)

요소별 채점 기준	점수
풀이과정을 바르게 서술한 경우	6점
답을 구한 경우	2점

[해설]

연속하는 세 자연수를 미지수를 이용해 $n-1$, n, $n+1$로 표현하고, 그것을 이용해 n의 조건을 알아낸다. 문제에서 주어진 조건과 n의 조건을 동시에 만족하는 수를 구하면 세 자연수의 쌍을 구할 수 있다.

모범답안

• **풀이과정**

위 정사각형을 접어 만든 입체도형은 다음과 같은 삼각뿔이다.

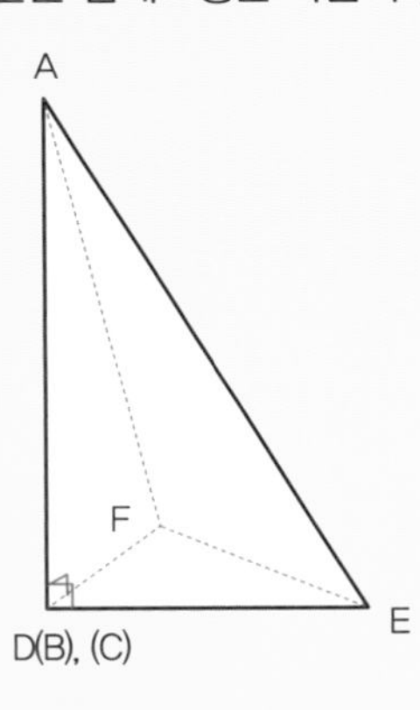

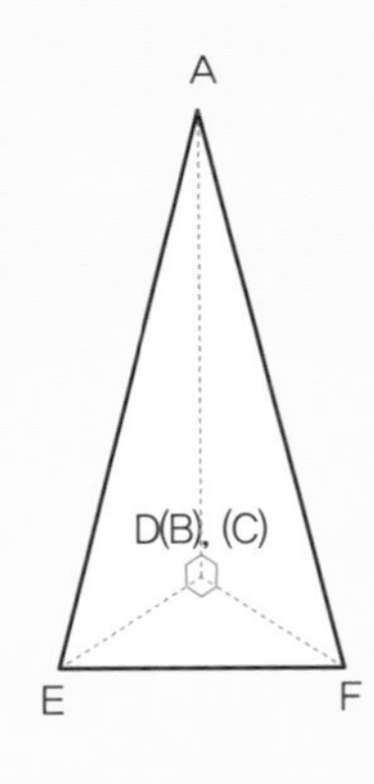

이때 높이는 $\overline{AB}$이고 밑면은 $\triangle CEF$이다.

따라서 높이가 $\overline{AB}$이고 밑면이 $\triangle CEF$인 삼각뿔의 부피를 구하면 된다.

$\triangle CEF$의 넓이$=\frac{1}{2}\times 4\,cm\times 4\,cm=8\,cm^2$

높이$=\overline{AB}=8\,cm$

삼각뿔의 부피$=\frac{1}{3}\times 8\,cm^2\times 8\,cm=\frac{64}{3}cm^3$

• **답 :** $\frac{64}{3}cm^3$

요소별 채점 기준	점수
풀이과정을 바르게 서술한 경우	6점
답을 구한 경우	2점

[해설]

정사각형을 접어서 만들 수 있는 입체도형은 삼각뿔이다. 이때 삼각뿔의 부피를 구하기 위해서는 삼각뿔의 밑면이 되는 면과 높이가 되는 선분의 길이를 구해야 한다.

'뿔의 부피$=\frac{1}{3}\times$밑면의 넓이$\times$높이'로 구할 수 있다.

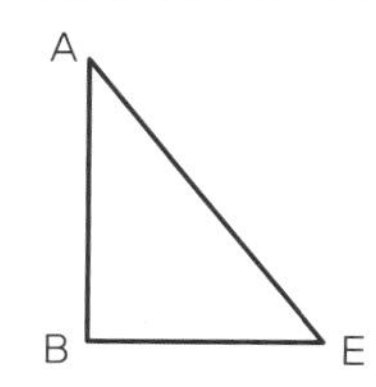

삼각뿔의 옆면은 $\triangle ABE(ADF)$가 직각삼각형이므로

삼각뿔의 높이는 $\overline{AB}=\overline{AD}=8\text{ cm}$이고, 밑면은 직각삼각형 ECF로 구한다.

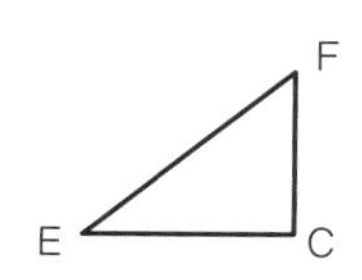

모범답안

13

• **풀이과정**

분자가 2이고 곱해지는 분모의 두 수의 차가 2이므로

$\frac{2}{3\times5}=\frac{1}{3}-\frac{1}{5}$, $\frac{2}{5\times7}=\frac{1}{5}-\frac{1}{7}$, ⋯, $\frac{2}{17\times19}=\frac{1}{17}-\frac{1}{19}$로 나타낼 수 있다.

$\frac{2}{3\times5}+\frac{2}{5\times7}+\frac{2}{7\times9}+\cdots+\frac{2}{17\times19}=\frac{1}{3}-\frac{1}{5}+\frac{1}{5}-\frac{1}{7}+\frac{1}{7}-\frac{1}{9}+\cdots+\frac{1}{17}-\frac{1}{19}$

$=\frac{1}{3}-\frac{1}{19}=\frac{16}{57}$

• **답** : $\frac{16}{57}$

요소별 채점 기준	점수
풀이과정을 바르게 서술한 경우	6점
답을 구한 경우	2점

[해설]

분수의 덧셈과 뺄셈을 하기 위해서는 반드시 통분의 과정을 거쳐야 한다. 문제에서 주어진 식을 통분하기 위해서는 15개 분수를 통분해야 하므로 통분을 이용해 문제를 해결하는 것은 매우 어렵고 복잡한 방법이 될 것이다. 이러한 문제에서는 각 항의 분수의 규칙을 찾거나 계산하기 편한 식으로 바꾸어 계산해야 한다. 만약 분수의 통분을 이용해 이 문제를 해결했다 하더라고 이는 올바른 문제 해결이라고 볼 수 없다.

14

• **풀이과정**

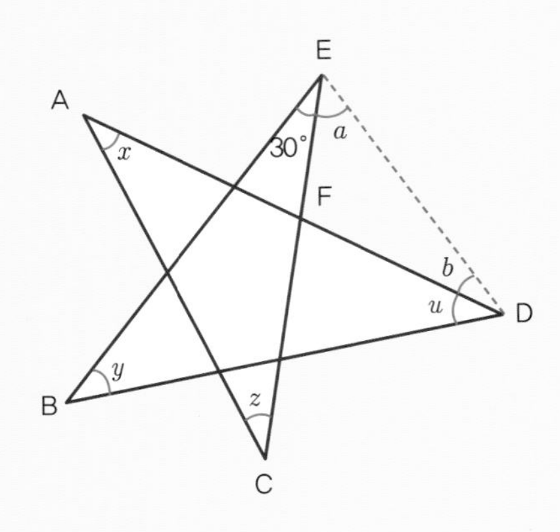

위 그림에서 $\overline{DE}$를 그으면 ∠AFE $=x+z=a+b$이고,

△EBD에서 $30°+a+b+u+y=180°$이므로

$a+b+u+y=x+y+z+u=150°$이다.

• **답** : 150°

요소별 채점 기준	점수
풀이과정을 바르게 서술한 경우	6점
답을 구한 경우	2점

[해설]

삼각형의 내각의 합은 180°라는 성질과 맞꼭지각의 크기는 같다는 내용을 이용해 $x+z=a+b$임을 알 수 있다. 주어진 도형에 보조선을 그어 볼록 다각형의 내각의 합을 활용해 문제를 해결할 수 있다.

모범답안

15

• **풀이과정**

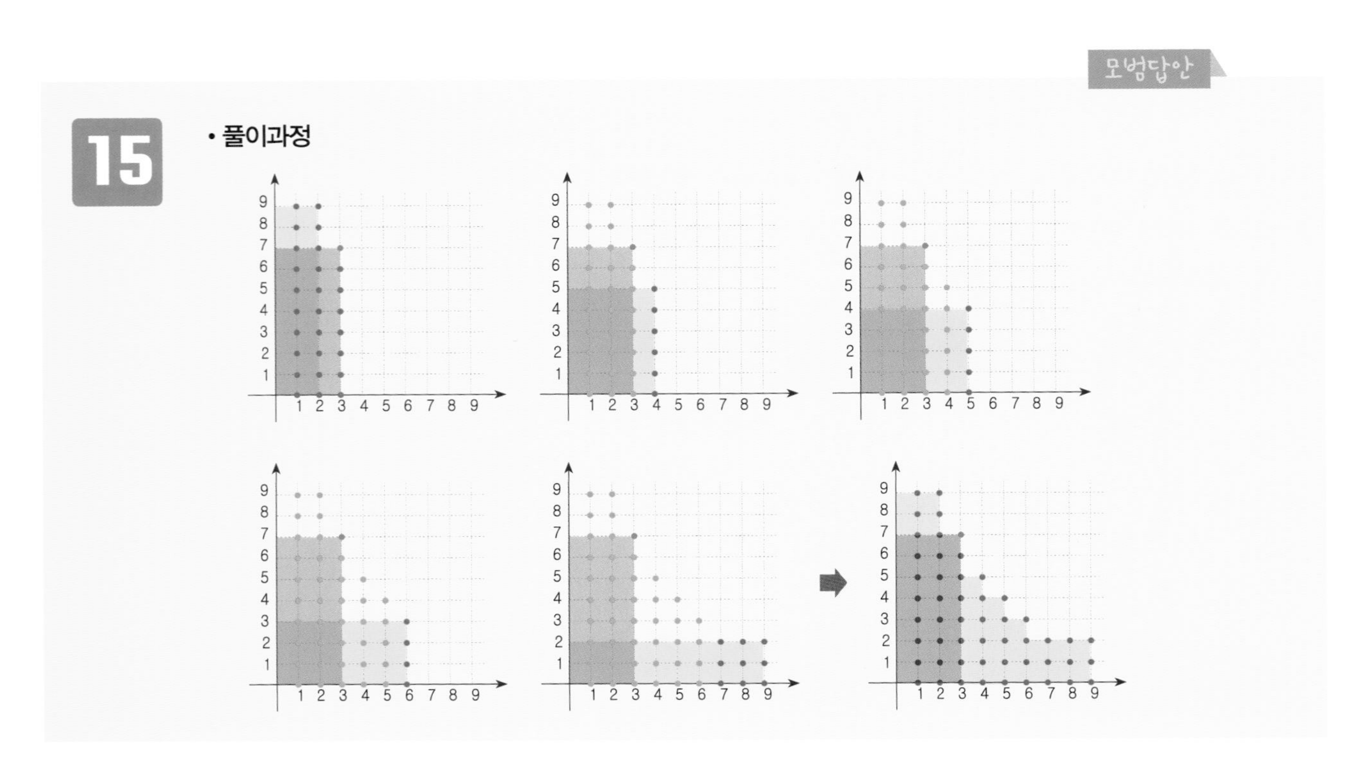

위와 같이 37에 대응되는 넓이는 21이고 21보다 작거나 같은 넓이에 대응되는 점의 개수는 53개이다. 이때, 규칙에 의해 37은 73보다 작은 수이므로 37은 52번째로 나열되는 수이다.

• **답** : 52번째

요소별 채점 기준	점수
풀이과정을 바르게 서술한 경우	6점
답을 구한 경우	2점

[해설]

두 자리 수의 각 자리 숫자의 곱을 직사각형의 넓이로 계산한 후 수의 순서를 넓이와 비교하면 해결할 수 있다. 좌표평면에 넓이가 21보다 작은 모든 직사각형를 구하고, 37이 나열된 순서를 구한다.

모범답안

16

- 4, 4, 7
- 4, 5, 7
- 4, 6, 7
- 4, 7, 7
- 4, 7, 8
- 4, 7, 9
- 4, 7, 10

※ 유창성 [10점]

총체적 채점 기준	점수
7가지를 구한 경우	10점
6~5가지를 구한 경우	8점
4~3가지를 구한 경우	6점
2가지를 구한 경우	4점
1가지를 구한 경우	2점

[해설]

삼각형의 세 변의 길이의 조건은 가장 긴 변의 길이가 나머지 두 변의 길이의 합보다 작아야 한다. 문제의 x는 가장 긴 변일 수도 있고, 가장 긴 변이 아닐 수도 있다.

두 가지 경우를 모두 생각해 x의 범위를 생각해 보면 $4+7>x$, $4+x>7$이므로 $x<11$, $x>3$이다.

이 모든 조건을 만족하는 x의 범위는 $3<x<11$이다.

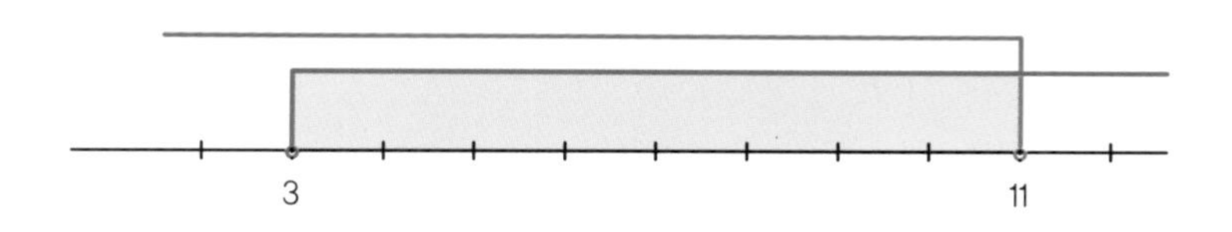

예시답안

- 재구매율은 이전에 먹었던 라면을 다시 선택하는 비율을 나타낸 것이다. 소수의 사람이 꾸준히 구매했을 경우 많은 양이 팔리지 않아도 재구매율이 높게 나올 수 있으므로 다른 라면에 비해 비교 우위에 있다고 보기 어렵다.
- 조사에 참여한 사람들이 누구인지 알 수 없다. A 라면을 판매하는 직원들을 대상으로 한 조사일 수도 있고 성별, 나이에 따라 다른 결과를 얻을 수 있다.
- 조사를 시행한 기간을 알 수 없다. 제품별로 조사를 시행한 기간이 다르다면 사실과 다른 결과를 얻을 수 있다.
- 조사에 참여한 사람들의 수가 얼마나 되는지 알 수 없다. 10명을 대상으로 한 조사와 10000명을 대상으로 한 조사 결과가 있다면 10000명을 대상으로 한 조사가 더 신뢰도가 높다.
- 비교 우위에 있다는 것은 재구매율 뿐만 아니라 전체적인 판매량과 가격, 선호도 등의 다양한 조사 결과를 통해 평가되어야 한다.

※ 유창성 [10점]

총체적 채점 기준	점수
한 가지 마다	2점

[해설]

어떤 주장의 근거로 사용된 자료를 보고 그 자료가 적절한지, 적절하지 않은지 판단하는 것은 그 주장이 타당한지, 타당하지 않은지를 결정하는 중요한 기준이 된다. 자료가 주어졌을 때 확인하거나 고려해야 할 다양한 변수들을 찾는다.

예시답안

18

- 회전체인 것과 아닌 것
- 구멍이 있는 것과 없는 것
- 타원 모양을 찾을 수 있는 것과 없는 것
- 대칭축의 개수가 1개인 것과 2개 이상인 것
- 점대칭 모양인 것과 선대칭 모양인 것

※ 유창성 [6점]

총체적 채점 기준	점수
다섯 가지를 찾은 경우	6점
네 가지를 찾은 경우	4점
세 가지를 찾은 경우	3점
두 가지를 찾은 경우	2점
한 가지를 찾은 경우	1점

※ 독창성 및 융통성 [4점]

요소별 채점 기준	점수
회전체와 관련된 기준을 찾은 경우	2점
입체도형의 분류 기준 (구멍의 유무)을 찾은 경우	2점

[해설]

분류 기준은 주어진 것을 모두 분류할 수 있어야 하며 그 기준으로 누가 분류하던지 같은 결과가 나올 수 있는 객관적인 것이어야 한다. 맛있는 것, 위험한 것 등과 같은 주관적인 기준은 분류의 기준으로 적절하지 않다. 주어진 물건들의 모양, 용도, 재질 등의 기준을 이용해 다양한 분류기준을 정할 수 있다.

예시답안

19

❶
- 호텔의 방의 개수는 무수히 많아야 한다. (무한 개의 방)
- 각 호실과 그 호실에 묵는 손님은 일대일 대응이어야 한다.

총체적 채점 기준	점수
두 가지 조건을 서술한 경우	5점
한 가지 조건을 서술한 경우	2점

❷ 투숙객들은 모두 1명씩의 친구를 불렀으므로 호텔에 묵을 사람의 수는 2배로 늘어났다.
1호실의 손님은 2호실로, 2호실의 손님은 4호실로, 3호실의 손님은 6호실로, 4호실의 손님은 8호실로 … n호실의 손님은 $2n$호실로 옮겨달라고 호텔 전체에 방송한다. 그러면 1호실, 3호실, 5호실, 7호실, … 이 빈방이 되고 기존의 투숙객들이 초대한 손님들에게 모두 빈방을 마련해 줄 수 있다.

요소별 채점 기준	점수
대응을 이용해 문제를 해결한 경우	5점
기존 투숙객 수와 새로운 손님 수의 관계를 서술한 경우	5점

[해설]

❶
- 방문하는 손님을 계속 받기 위해서는 호텔의 방의 개수에 제한이 없어야 한다. 다시 말해 무한개의 방을 가진 호텔이어야 한다. 새로운 방을 만들기 위해 원래 있던 호실에서 1을 더한 호수의 방으로 손님들을 옮기도록 하는 것으로 보아 각 호실과 손님들은 일대일 대응 관계임을 알 수 있다.
- 힐베르트의 호텔(Hilbert's Hotel) 또는 힐베르트 공간은 힐베르트가 무한이라는 개념이 얼마나 엉뚱한 개념인지 보여주기 위해 고안한 이야기이다. 이것은 실제 손님들이 옆방으로 옮겨서 새로운 방이 생겼다는 개념이라기보다는 무한대에서 하나를 더 포함시켰다고 해도 결국 무한대이므로 문제없이 새로운 방이 계속 생긴다는 개념이다. 즉, 무한대에 1을 더해도 여전히 무한대이고, $n+1=n$이다. 무한의 세계에서는 물리적으로 방을 만들지 않아도 수학적으로는 방이 계속 생긴다. 무한이라는 것은 우리의 상식을 벗어난 곳이며 경험할 수 없는 세계이다.

❷ 지금 호텔에 묵고 있는 투숙객의 수와 방의 개수를 정확하게 알 수 없으므로 무한한 방의 개수와 각 방과 손님 사이의 대응 관계를 이용하면 문제를 해결할 수 있다.

예시답안

❶ 세탁물의 양을 나누는 기준이 오직 2가지(5 kg 미만과 5 kg 이상)뿐이라 세탁물의 양에 따른 세제의 양이 적절하게 정해지지 않는다. 예를 들면 1 kg과 4 kg의 세탁물은 3 kg의 차이가 나지만 같은 양의 세제를 넣고 세탁해야 하고, 4 kg과 5 kg의 세탁물은 1 kg의 차이가 나지만 서로 다른 양의 세제를 넣고 세탁해야 한다.

요소별 채점 기준	점수
기준에 대하여 서술한 경우	3점
효율성에 대하여 서술한 경우	2점

❷

• **장점 :** 세탁물의 양 구간을 더 좁게 설정하여 넣어야 하는 세제의 양을 정해주면 적은 세탁물에 많은 세제를 넣는 경우가 줄어들어 세제의 낭비를 줄일 수 있고, 많은 세탁물에 적은 세제를 넣어 세탁 효과가 떨어지는 경우를 줄일 수 있다.

• **퍼지 이론이 활용되는 경우**

– 온도를 세밀하게 통제해 에어컨이나 난방기가 자동으로 실내 온도를 유지하며 작동될 때 사용된다.

– 지하철이 역에 도착할 때, 지하철의 속력이 줄어드는 단계를 여러 단계로 나누어서 속력을 서서히 줄어들도록 하여 안전하게 멈추도록 해 준다.

– 전기밥솥의 온도를 세밀하게 통제해 온도에 따라 가열하는 정도를 다르게 하여 밥이 타지 않고 전기도 아끼도록 해 준다.

– 일정 시간이 되면 자동으로 꺼지고 켜지는 가로등을 밝기에 따라 작동하도록 하여 전기 소모를 줄인다.

요소별 채점 기준	점수
장점을 서술한 경우	2점
일상생활에서 퍼지 이론이 활용되는 경우를 서술한 한 가지마다	각 2점

[해설]

❶ 주어진 세탁기의 사용 설명서는 세탁물의 양을 '많다', '적다'의 두 가지로 구분하여 그 결과에 따라 세제의 양을 정했다. 이 경우 세탁물의 양에 따라 세제가 낭비되기도 하고 세탁의 효과가 떨어지기도 한다. 이러한 문제를 해결하기 위해 도입된 이론이 퍼지 이론이다. 세탁물의 양의 기준을 '적다', '조금 적다', '조금 많다', '많다'로 나누어 세제의 양을 정하면 세제의 낭비도 줄이고 효율적으로 세탁할 수 있다.

❷ 퍼지 이론은 우리 일상의 다양한 곳에서 활용되고 있다. '있다', '없다' 또는 '많다', '적다' 등의 간단하고 명확한 기준으로 해결되는 문제들도 있지만, 어떤 문제를 조금 더 정확하고 효과적으로 해결하기 위해 퍼지 이론이 활용된다.

문항 구성 및 채점표

문항 \ 평가영역	수학 사고력		수학 창의성		수학 STEAM	
	개념 이해력	개념 응용력	유창성	독창성 및 융통성	문제 파악 능력	문제 해결 능력
21	점					
22		점				
23	점					
24	점					
25	점					
26			점			
27			점	점		
28			점	점		
29					점	점
30					점	점

평가영역별 점수	개념 이해력	개념 응용력	유창성	독창성 및 융통성	문제 파악 능력	문제 해결 능력
	수학 사고력		수학 창의성		수학 STEAM	
	/ 40점		/ 30점		/ 30점	

총점	

평가 결과에 따른 학습 방향

사고력	35점 이상	정확하게 답안을 작성하는 연습을 하세요.
	24~34점	교과 개념과 연관된 응용문제로 문제 적응력을 기르세요.
	23점 이하	틀린 문항과 관련된 교과 개념을 다시 공부하세요.
창의성	26점 이상	보다 독창성 및 융통성 있는 아이디어를 내는 연습을 하세요.
	18~25점	다양한 관점의 아이디어를 더 내는 연습을 하세요.
	17점 이하	적절한 아이디어를 더 내는 연습을 하세요.
STEAM	26점 이상	답안을 보다 구체적으로 작성하는 연습을 하세요.
	18~25점	문제 해결 방안의 아이디어를 다양하게 내는 연습을 하세요.
	17점 이하	실생활과 관련된 수학 기사로 수학적 사고를 확장하는 연습을 하세요.

모범답안

21

• **풀이과정**

새빈이는 1시 x분, 현서는 1시 y분에 도착하였다고 하자. 다음 그래프의 점선으로 표시된 정사각형 영역이 (x, y)가 존재할 수 있는 영역이고, 색칠된 부분이 두 사람이 만나는 영역이다.

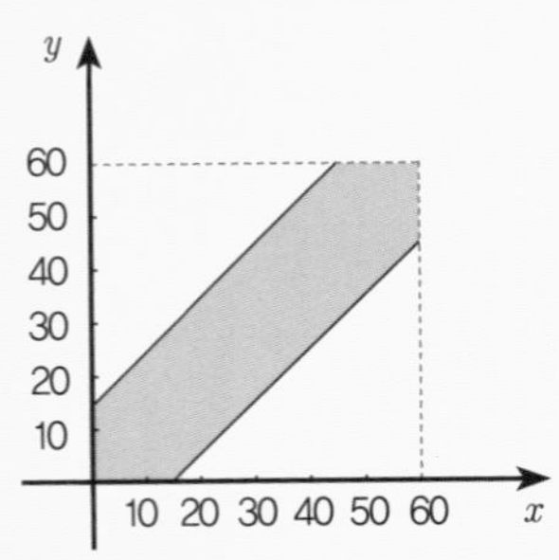

따라서 구하는 확률 $= \dfrac{\text{색칠된 부분의 넓이}}{\text{정사각형의 넓이}} = \dfrac{60^2-45^2}{60\times60} = 1-\dfrac{9}{16} = \dfrac{7}{16}$

• **답** : $\dfrac{7}{16}$

요소별 채점 기준	점수
풀이과정을 바르게 서술한 경우	6점
답을 구한 경우	2점

[해설]

두 사람이 만날 확률 $= \dfrac{\text{색칠된 부분의 넓이}}{\text{정사각형의 넓이}}$로 구할 수 있다.

두 사람이 만나는 시간의 범위만 주어졌으므로 간단한 계산으로 문제를 해결하기 어렵다.

두 사람의 약속 시각의 범위(1시간)와 기다리는 시간(15분)을 함수의 그래프로 나타내면 도형의 확률을 이용해 문제를 해결할 수 있다.

모범답안

22

• **풀이과정**

$\triangle ACD$, $\triangle CBE$가 정삼각형이므로

$\overline{AC}=\overline{DC}$, $\overline{CE}=\overline{CB}$, $\angle ACE=\angle DCB$이므로

$\triangle ACE\equiv\triangle DCB$ (SAS합동)이다.

$\overline{DC}$와 $\overline{AE}$의 교점을 Q라고 하면

$\triangle DQP$와 $\triangle AQC$에서 $\angle DQP=\angle AQC$ ($\because$맞꼭지각)이고,

$\angle QAC=\angle QDP$($\because \triangle ACE\equiv\triangle DCB$)이므로

$\angle DPQ=\angle ACQ=60^\circ$

따라서 $\angle APB=180^\circ-60^\circ=120^\circ$

• **답** : 120°

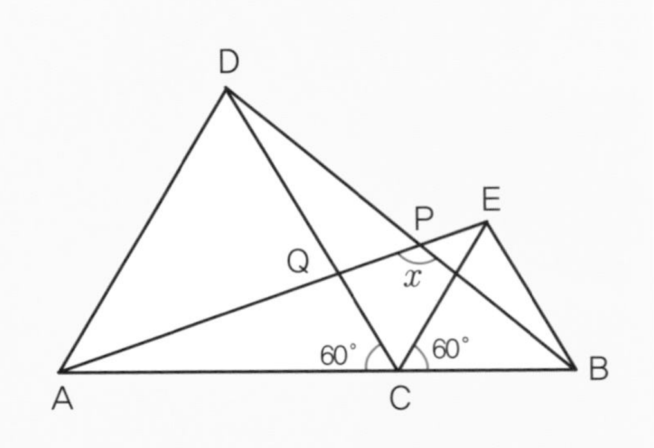

요소별 채점 기준	점수
풀이과정을 바르게 서술한 경우	6점
답을 구한 경우	2점

[해설]

삼각형의 합동 조건에는 3가지가 있다. 두 삼각형의 세 변의 길이가 같은 경우(SSS 합동), 두 변의 길이가 같고 그 끼인 각의 크기가 같은 경우(SAS 합동), 한 변의 길이가 같고 양 끝 각의 크기가 같은 경우(ASA 합동)이다.

정삼각형의 성질을 이용해 △ACE와 △DCB가 합동이라는 사실을 찾으면 문제를 해결할 수 있다.

모범답안

23

• **풀이과정**

용원이가 동우를 따라가기 시작했을 때, 동우는 이미 $4\times\frac{x}{10}$ km만큼 앞서 있었다.

용원이는 집에 다시 돌아올 때까지 왕복 4시간이 걸렸으므로 동우를 2시간만에 따라잡았다.

용원이의 자전거의 속력을 시속 y km라 하면

그시간 동안 동우가 더 이동한 거리는 $2\times\frac{x}{10}$ km이고, 용원이는 $2y$ km만큼 이동했다.

따라서 $2y=\frac{4}{10}x+\frac{2}{10}x$이므로 $2y=\frac{6}{10}x$, $y=\frac{3}{10}x$이다.

• **답 :** $\frac{3}{10}x$ km/h

요소별 채점 기준	점수
풀이과정을 바르게 서술한 경우	6점
답을 구한 경우	2점

[해설]

동우는 하루에 10시간씩 자전거를 타고 $x$km를 이동하였으므로 동우의 자전거의 속력은 $\frac{x}{10}$ km/h이다.

동우가 출발한 지 4시간 후 용원이가 동우를 따라갔으므로 용원이가 출발한 시각은 오후 12시이며 동우를 만나고 돌아오는 데 걸린 시간이 4시간이었으므로 동우를 만나는 데까지 걸린 시간은 그 시간의 절반인 2시간이다.

모범답안

24

- **풀이과정**

문제의 조건에 맞게 원반의 개수에 따라 〈기둥 1〉에서 〈기둥 3〉으로 원반을 옮기는 최소 횟수를 구하면 다음과 같다.

원반이 1개 있을 때 : $2^1-1=1$(번)

원반이 2개 있을 때 : $2^2-1=3$(번)

원반이 3개 있을 때 : $2^3-1=7$(번)

⋮ ⋮

원반이 6개 있을 때 : $2^6-1=63$(번)이므로 6개의 원반을 옮기는 최소 횟수는 63번이다.

- **답 :** 63번

요소별 채점 기준	점수
풀이과정을 바르게 서술한 경우	6점
답을 구한 경우	2점

[해설]

인도 바라나시에 있는 두르가 사원에 재미있는 문제가 전해져 내려온다. 그 문제는 세상의 종말에 관한 문제로, 한 기둥에 64개의 원반이 크기 순서대로 쌓여 있고 그 원반을 다른 기둥으로 옮기면 세상의 종말이 찾아온다는 것이다. 그 문제가 우리가 알고 있는 하노이 탑이다. 위에서 찾은 규칙성을 이용해 두르가 사원의 문제를 해결해 보면

$2^{64}-1=18446744073709551615$번 원반을 옮겨야 하고 1초에 원반을 1번씩 옮긴다고 가정했을 때 약 5849억 년이 걸린다.

모범답안

25

- **풀이과정**

5 %의 소금물 120 g에 들어 있는 소금의 양 $=120\text{ g}\times\frac{5}{100}=6\text{ g}$

같은 농도의 소금물 x g에 들어 있는 소금의 양 $=x\text{g}\times\frac{5}{100}=\frac{x}{20}\text{ g}$

4 %의 소금물 180 g에 들어 있는 소금의 양 $=180\text{ g}\times\frac{4}{100}=\frac{36}{5}\text{ g}$

3.6 % 소금물 300 g에 들어 있는 소금의 양은 다음과 같다.

$6-\frac{x}{20}+\frac{36}{5}=300\times\frac{3.6}{100}$

$600-5x+720=1080$

$5x=240$

$\therefore x=48$

- **답 :** 48 g

요소별 채점 기준	점수
풀이과정을 바르게 서술한 경우	6점
답을 구한 경우	2점

[해설]

소금물의 양은 소금의 양+물의 양으로 구할 수 있고,

소금물의 농도(%)$=\frac{\text{소금의 양}}{\text{소금물의 양}}\times 100$, 소금의 양=소금물의 양$\times\frac{\text{농도}}{100}$으로 구할 수 있다.

5 %의 소금물에서 x g의 소금물을 퍼내고 퍼낸 만큼의 물을 부었으므로

5 %의 소금물에서 변화된 소금의 양만 구하면 된다.

4 %의 소금물 180 g과 섞었더니 3.6 %의 소금물 300 g이 되었으므로

각 농도의 소금물에 녹아 있는 소금의 양으로 식을 세울 수 있다.

소금의 양에 x g이 포함되므로 소금의 양으로 식을 세우면 x를 구할 수 있다.

$120\text{ g}\times\frac{5}{100}-x\text{ g}\times\frac{5}{100}+180\text{ g}\times\frac{4}{100}=300\text{ g}\times\frac{3.6}{100}$

$600-5x+720=1080$

$\therefore x=48$

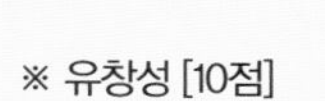

26 주어진 입체도형의 각 단면의 모양을 살펴보면 다음과 같다.

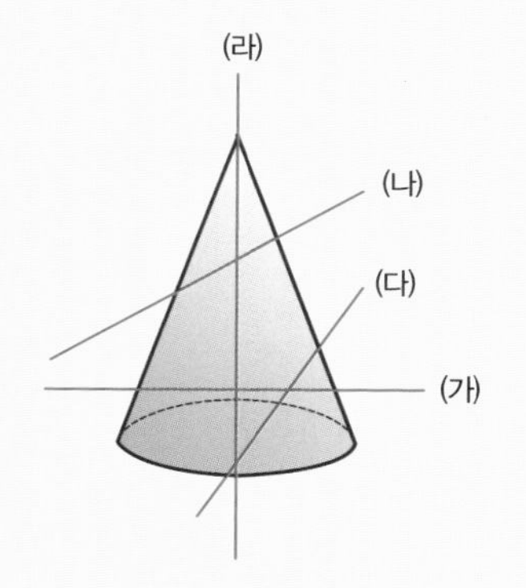

※ 유창성 [10점]

총체적 채점 기준	점수
네 가지 단면과 자르는 방법을 나타낸 경우	10점
세 가지 단면과 자르는 방법을 나타낸 경우	7점
두 가지 단면과 자르는 방법을 나타낸 경우	5점
한 가지 단면과 자르는 방법을 나타낸 경우	2점

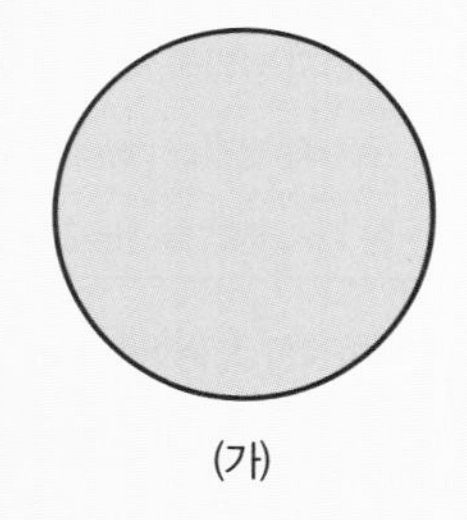
(가)

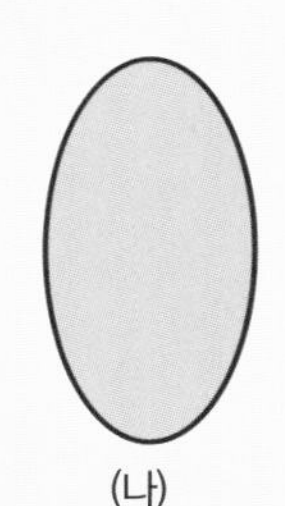
(나)

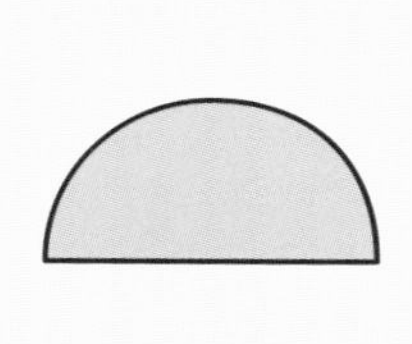
(다)

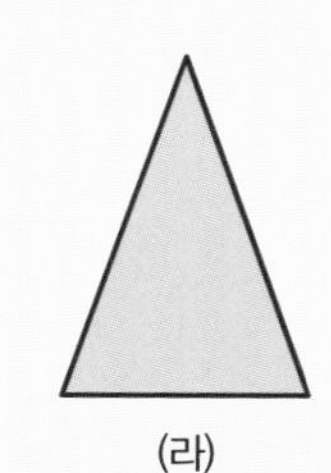
(라)

예시답안

27

- 사다리 타기 게임 : 하나의 번호를 선택하면 그 번호에 해당하는 결과가 꼭 하나씩만 정해진다.
- 주소 : 각 주소에 대응하는 건물은 하나씩 존재한다.
- 전화번호 : 모든 전화번호는 하나의 전화기와 대응한다.
- 컴퓨터 자판 : 각 자판을 누르면 입력되는 문자가 모두 다르다.
- 학생들의 번호 : 각 번호에 대응하는 서로 다른 학생들이 반드시 존재한다.
- 주민등록번호 : 모든 국민은 모두 다른 주민등록번호를 가지고 있다.

※ 유창성 [6점]

총체적 채점 기준	점수
다섯 가지 방법을 서술한 경우	6점
네 가지 방법을 서술한 경우	4점
세가지 방법을 서술한 경우	3점
두가지 방법을 서술한 경우	2점
한 가지 방법을 서술한 경우	1점

※ 독창성 및 융통성 [4점]

요소별 채점 기준	점수
자판기와 같은 제품의 대응을 서술한 경우	2점
게임이나 번호와 관련된 대응을 서술한 경우	2점

[해설]

자판기와 같은 일대일 대응은 함수를 이해하는 기본이 되는 대응이다. 물론 다른 대응(일대다, 다대일)들도 함수가 될 수 있지만, 그중 우리 주변에서 가장 쉽고 자주 접하게 되는 대응은 일대일 대응이다. 대응으로 설명할 수 있는 다양한 예를 찾아본다.

예시답안

28

- 메르스 확진자의 수는 6월 7일 이후 점점 감소하고 있다.
- 5월 29일 이후 3일 간격으로 확진자의 수가 증가한다.
- 154명의 확진자 중 19명이 사망하였으므로 사망률은 약 12.3 %이다.
- 6월에는 하루 평균 1명 이상의 사망자가 발생하였다.
- 완치되어 퇴원한 환자보다 사망한 환자의 수가 더 많다.

※ 유창성 [6점]

총체적 채점 기준	점수
다섯 가지 방법을 서술한 경우	6점
네 가지 방법을 서술한 경우	4점
세가지 방법을 서술한 경우	3점
두가지 방법을 서술한 경우	2점
한 가지 방법을 서술한 경우	1점

※ 독창성 및 융통성 [4점]

요소별 채점 기준	점수
사망률을 서술한 경우	2점
확진자 수의 변화를 서술한 경우	2점

[해설]

그래프에서 확인할 수 있는 사실과 그 사실을 이용해 사망률, 증가율, 완치율과 같은 새로운 사실을 찾아낼 수 있다. 사망률=사망자 수÷환자 수×100으로 구할 수 있다. 사실만을 근거로 서술하고 자신의 의견을 더하여 추측한 것은 점수에서 제외한다.

예시답안

29

❶

- 기온
- 바람
- 습도
- 햇빛
- 활동량
- 옷차림

총체적 채점 기준	점수
한 가지 마다	1점

❷

- **체감온도에 영향을 미치는 요소 :** 온도, 습도, 바람, 햇빛, 활동량
- **불쾌지수 구하는 식**

  불쾌지수=7×온도+6×습도−3×풍속+2×태양의 고도+1×지난 1시간 동안 활동 시간
- **이유 :** 온도와 습도, 햇빛은 높고 활동량은 많을수록 체감온도가 높다고 느끼고, 바람은 많이 불수록 체감온도가 낮다고 느낀다. 각 요소 중 중요하다고 생각되는 것부터 서로 다른 가중치를 주어 온도, 습도, 햇빛, 활동량을 더한 값에서 바람의 값을 빼는 방법으로 식을 만든다.

요소별 채점 기준	점수
체감온도에 많은 영향을 주는 요소를 순서대로 나열한 경우	3점
계산 가능한 식을 만든 경우	3점
이유를 바르게 서술한 경우	4점

[해설]

❶ 체감온도는 사람이 느끼는 온도이므로 사람마다 느끼는 정도가 다를 수 있다. 기온을 느끼는 데 영향을 줄 수 있는 요인을 찾는다. 체감온도이므로 그 순간의 기분이나 활동량, 옷과 같은 개인적인 것도 체감온도에 영향을 줄 수 있다.

❷ 각각의 요소가 체감온도에 어떤 영향을 주는지 알아야 한다. 다른 요소들은 체감온도를 높이는 요소들이지만 바람의 경우 체감온도를 낮추는 요소이다. 또 다른 요소보다 온도와 습도가 체감온도에 많은 영향을 준다고 생각되면 더 많은 가중치를 주어 계산할 수도 있다. 체감온도를 계산하기 위해서는 각 요소를 계산이 가능한 수로 측정할 수 있어야 한다. 각 요소를 수치화하는 방법 역시 적절하고 구하기 쉬운 것이어야 한다.

예시답안

❶ 비가 많이 내리면 선거 투표율이 낮아지는 반비례 관계의 함수 관계가 존재한다. 비가 많이 내릴수록 선거를 하기 위해 투표소로 이동하기 어려워지기 때문이다.

요소별 채점 기준	점수
관계를 서술한 경우	2점
이유를 서술한 경우	3점

❷
- 학습 시간과 성적의 함수 관계 : 학습 시간이 늘어나면 성적이 올라가는 정비례 관계이다.
- 근육과 체지방의 함수 관계 : 우리 몸의 근육이 늘어나면 체지방이 줄어드는 반비례 관계이다.
- 북한 도발과 우리나라 증시의 함수 관계 : 북한의 도발 정도가 증가하면 전쟁 위험이 커지는 것으로 판단되어 우리나라의 주가가 하락하는 반비례 관계이다.
- 여름 날씨와 에어컨 판매량의 함수 관계 : 여름 기온이 높을수록 에어컨의 판매량도 증가하는 정비례 관계이다.
- 인구와 교통 체증의 함수 관계 : 인구가 증가하면 교통 체증도 증가하는 정비례 관계이다.
- 과일 가격과 소비량의 함수 관계 : 과일의 가격이 내려가면 소비량이 증가하는 반비례 관계이다.
- 출산율과 노령화의 함수 관계 : 출산율이 감소하면 노령화 정도가 높아지는 반비례 관계이다.
- 용수철과 탄성력의 함수 관계 : 용수철을 잡아당긴 길이가 길수록 탄성력도 증가하는 정비례 관계이다.
- 자동차 속력과 사고 발생 정도 사이의 함수 관계 : 자동차의 속력이 빨라지면 사고의 건수도 늘어나는 정비례 관계이다.
- 전기 요금과 전기 사용량 사이의 함수 관계 : 전기 요금이 올라가면 전기 사용량이 줄어드는 반비례 관계이다.

총체적 채점 기준	점수
한 가지 마다	1점

[해설]

❶ 일반적으로 선거 당일 비나 눈이 내리면 날씨를 핑계로 기권하는 사람이 많아 투표율이 떨어지고, 날씨가 맑으면 젊은 유권자들이 나들이를 떠나 야당에 불리하다는 의견이 많다. 특히 젊은 나이의 유권자는 날씨에 많은 영향을 받는다.

❷ 함수 관계의 의미를 파악하고 우리 주변에서 다양한 함수 관계를 찾아본다. 문제에서 이야기하는 함수 관계는 수학과 과학에서의 함수 관계도 포함되지만 일반적으로 서로 상관관계가 있는 두 가지 사이의 관계를 함수 관계라고 표현한다. 어떠한 원인이 결과에 영향을 준다면 그 둘 사이에는 함수 관계(상관관계)가 있다고 볼 수 있다.

문항 구성 및 채점표

평가영역 / 문항	수학 사고력		수학 창의성		수학 STEAM	
	개념 이해력	개념 응용력	유창성	독창성 및 융통성	문제 파악 능력	문제 해결 능력
31	점					
32	점					
33	점					
34		점				
35		점				
36			점	점		
37			점			
38			점	점		
39					점	점
40					점	점

평가영역별 점수	개념 이해력	개념 응용력	유창성	독창성 및 융통성	문제 파악 능력	문제 해결 능력
	수학 사고력		수학 창의성		수학 STEAM	
	/ 40점		/ 30점		/ 30점	

총점	

평가 결과에 따른 학습 방향

영역	점수	학습 방향
사고력	35점 이상	정확하게 답안을 작성하는 연습을 하세요.
	24~34점	교과 개념과 연관된 응용문제로 문제 적응력을 기르세요.
	23점 이하	틀린 문항과 관련된 교과 개념을 다시 공부하세요.
창의성	26점 이상	보다 독창성 및 융통성 있는 아이디어를 내는 연습을 하세요.
	18~25점	다양한 관점의 아이디어를 더 내는 연습을 하세요.
	17점 이하	적절한 아이디어를 더 내는 연습을 하세요.
STEAM	26점 이상	답안을 보다 구체적으로 작성하는 연습을 하세요.
	18~25점	문제 해결 방안의 아이디어를 다양하게 내는 연습을 하세요.
	17점 이하	실생활과 관련된 수학 기사로 수학적 사고를 확장하는 연습을 하세요.

모범답안

31

• **풀이과정**

자연수 a, b, c, d, e에 대하여 구하고자 하는 네 자리의 자연수를 n이라 하면

$n=2a+1=3b+1=4c+1=5d+1=6e+1$로 나타낼 수 있고,

$n-1$은 2, 3, 4, 5, 6으로 나누어떨어진다.

2, 3, 4, 5, 6의 최소공배수는 60이므로

자연수 k에 대하여 $n=60k+1$로 나타낼 수 있다.

n은 네 자리 자연수 중 가장 작은 수이므로 $n=1021$이고

1021을 7로 나눈 나머지는 6이다.

• 답 : 6

요소별 채점 기준	점수
풀이과정을 바르게 서술한 경우	6점
답을 구한 경우	2점

[해설]

문제의 조건에서 $n-1$은 2, 3, 4, 5, 6으로 나누어떨어진다고 했으므로 $n-1$은 2, 3, 4, 5, 6의 최소공배수인 60의 배수라고 할 수 있다. 이때 $n=60k+1$로 나타낼 수 있고 60의 배수인 네 자리의 자연수 중 가장 작은 수는 1020으로 $n=1021$이다.

모범답안

32

• **풀이과정**

다음 그림에서 △ABC와 △ACD의 넓이 사이에는 다음과 같은 관계가 성립한다.

△ABC의 넓이=3×△ACD의 넓이

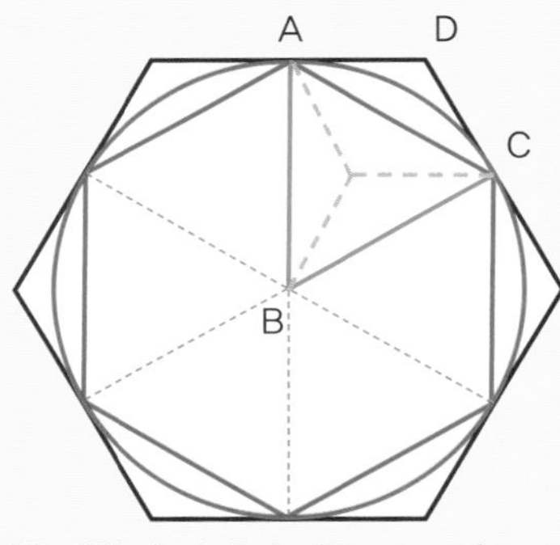

따라서 작은 정육각형과 큰 정육각형의 넓이의 비는 3 : 4이므로

큰 정육각형의 넓이는 $30\text{ cm}^2\times\frac{4}{3}=40\text{ cm}^2$이다.

• 답 : 40 cm^2

요소별 채점 기준	점수
풀이과정을 바르게 서술한 경우	6점
답을 구한 경우	2점

[해설]

두 정육각형은 무게중심이 같고 원의 안쪽과 바깥쪽에 접하고 있으므로 6등분을 하면 다음과 같이 작은 정육각형은 정삼각형이 되고, 큰 정육각형은 정삼각형에 이등변삼각형이 더해진 사각형이 된다.

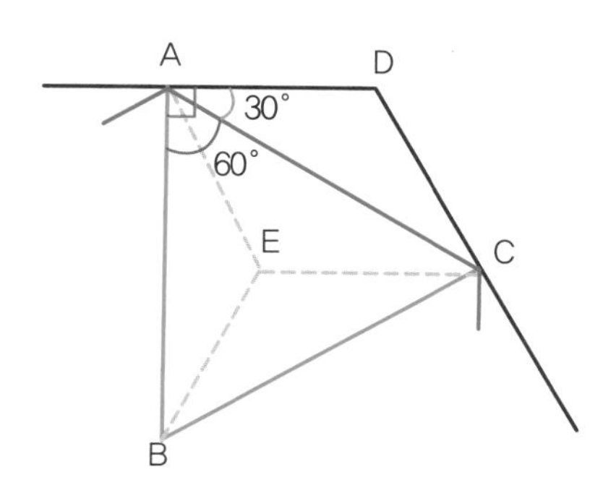

큰 정육각형은 원에 외접하고 있으므로 $\angle BAD = \angle BCD = 90°$이고,

정삼각형의 한 내각은 $60°$이므로 $\angle ADC = \angle DCA = 30°$이다.

정삼각형 세 내각의 이등분선의 교점을 E라고 하면 $\triangle ACD \equiv \triangle ACE$(ASA 합동)이고,

$\triangle CAE$는 정삼각형의 $\frac{1}{3}$이므로 □ABCD의 넓이는 $\triangle ABC$의 넓이의 $\frac{4}{3}$이다.

따라서 큰 정육각형의 넓이는 작은 정육각형의 넓이의 $\frac{4}{3}$이다.

모범답안

33

• **풀이과정**

어떤 자연수 x를 y에 관한 식으로 나타내면 $x=9y+4$이다.

몫 y를 z에 관한 식으로 나타내면 $y=5z+3$이다.

x를 z에 관한 식으로 나타내면

$x=9(5z+3)+4=45z+31$이다.

따라서 $x=15(3z+2)+1$이므로

x를 15로 나누었을 때의 몫은 $3z+2$, 나머지는 1이다.

• 답 : 몫 : $3z+2$, 나머지 : 1

요소별 채점 기준	점수
풀이과정을 바르게 서술한 경우	6점
답을 구한 경우	2점

[해설]

어떤 자연수 x를 z에 관한 식으로 나타내기 위해 y를 z에 관한 식으로 바꾸어 대입한다. x를 z에 관한 식으로 나타낸 다음, x를 15로 나누었을 때 나머지를 구하기 위해서 괄호를 이용해 15로 묶어낸다.

모범답안

34

• **풀이과정**

1열 : $1=1\times1+0\times0=1$

2열 : $(1+3)+1=2\times2+1\times1=5$

3열 : $(1+3+5)+3+1=3\times3+2\times2=13$

4열 : $(1+3+5+7)+5+3+1=4\times4+3\times3=25$

⋮

숫자들의 합의 규칙을 보면, 위와 같이 연속된 두 자연수 제곱의 합임을 알 수 있다.

따라서 100열에 있는 수들의 합은 $100\times100+99\times99=19801$이다.

• 답 : 19801

요소별 채점 기준	점수
풀이과정을 바르게 서술한 경우	6점
답을 구한 경우	2점

[해설]

주어진 수열의 규칙은 각 열의 숫자가 2개씩 늘어나고, 아래로 2씩 커지는 규칙이다. 사용된 수가 모두 홀수이고, 연속된 홀수의 합은 연속된 두 자연수의 제곱임을 이용해 100열에 있는 수들의 합을 구할 수 있다. 규칙을 표로 나타내면 다음과 같다.

1	1	1		0
2	4	1 3	1	1
3	9	1 3 5	3 1	4
4	16	1 3 5 7	5 3 1	9
⋮	⋮	⋮		⋮
n	n^2			$(n-1)^2$

모범답안

35

• **풀이과정**

n번 학생이 가진 구슬의 개수를 x_n이라 하면 $x_n+x_n+1=9+n$이므로

$x_1+x_2=9+1=10$

$x_2+x_3=9+2=11$

$x_3+x_4=9+3=12$

⋮

$x_{12}+x_{13}=9+12=21$

$x_{13}+x_1=22$

위의 식에서

$(x_1+x_2)-(x_2+x_3)+(x_3+x_4)-(x_4+x_5)+\cdots+(x_{11}+x_{12})-(x_{12}+x_{13})+(x_{13}+x_1)$

$=10-11+12-13+\cdots+20-21+22$이므로

$x_1+x_1=-1-1-1-1-1-1+22$

$2x_1=16$, $x_1=8$이다.

따라서 1번 학생이 가진 구슬의 개수는 8개이다.

• 답 : 8개

요소별 채점 기준	점수
풀이과정을 바르게 서술한 경우	6점
답을 구한 경우	2점

[해설]

문제에서 주어진 조건과 각 학생이 가진 구슬의 개수를 식으로 만들어 문제를 해결한다. 1번과 13번 학생이 가진 구슬 개수의 합이 문제를 푸는 핵심이다.

예시답안

36

• 염소의 수를 x, 닭의 수를 y라 하면,

$x+y=10$ ……①

$4x+2y=34$ ……②

①에서 $x=10-y$이므로 이 식을 ②에 대입하면

$4(10-y)+2y=34$

$40-4y+2y=34$

$2y=6$

$y=3$, $x=7$

∴ 염소 7마리, 닭 3마리

• 표를 이용해 마릿수와 다리 수를 만족하는 경우를 찾는다.

닭	1	2	3	4	5	…
염소	9	8	7	6	5	…
다리 수의 합	38	36	34	32	30	…

∴ 염소 7마리, 닭 3마리

• 10마리가 모두 닭이라고 가정하고 닭 1마리를 염소 1마리로 바꿀 때마다 늘어나는 다리의 수를 나열한다.

20, 22, 24, 26, 28, 30, 32, 34, …

∴ 염소 7마리, 닭 3마리

• 10마리가 모두 염소라고 생각하고 다리를 4개씩 그린 다음 다리를 2개씩 지워 나가며 다리의 수를 센다. 다리의 수가 34가 되었을 때, 4개의 다리를 가진 것은 염소, 2개의 다리를 가진 것은 닭으로 생각한다.

∴ 염소 7마리, 닭 3마리

※ 유창성 [6점]

총체적 채점 기준	점수
한 가지 마다	2점

※ 독창성 및 융통성 [4점]

요소별 채점 기준	점수
표를 이용한 경우	2점
표와 방정식 이외의 방법을 이용한 경우	2점

[해설]

문제를 해결하는 방법에는 다양한 방법이 있다. 특히 방정식을 이용하여 해결할 수 있는 문제는 표를 이용하는 방법, 수를 배열하는 방법, 규칙성을 이용하는 방법 등 다양한 방법으로 문제를 해결할 수 있다.

모범답안

37

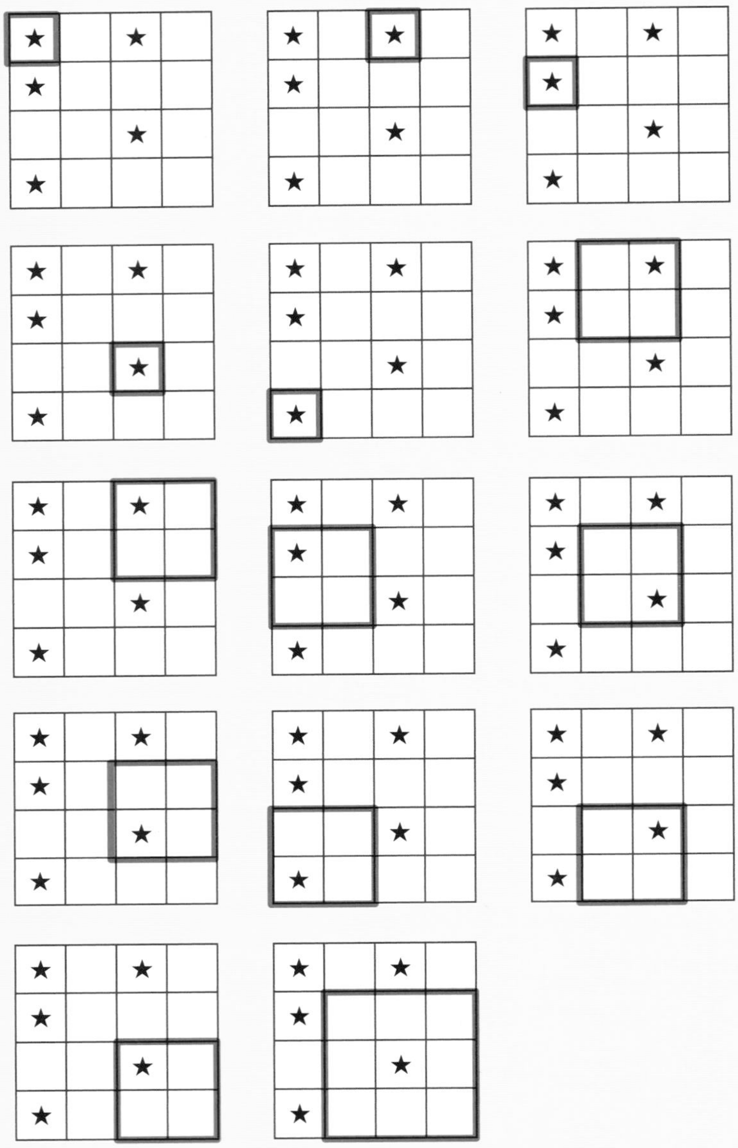

※ 유창성 [10점]

총체적 채점 기준	점수
14개를 그린 경우	10점
13~12개를 그린 경우	8점
11~10개를 그린 경우	6점
9~8개를 그린 경우	4점
7~6개를 그린 경우	3점
5~4개를 그린 경우	2점
3~1개를 그린 경우	1점

[해설]

작은 사각형 1개, 4개, 9개로 만들 수 있는 정사각형을 순서대로 만들어 보면 14개의 정사각형을 구할 수 있다.

예시답안

38

- 가운데 부분의 17부터 시작해 시계 반대 방향 나선 모양 순서대로 수가 1씩 증가한다.
- 가로, 세로의 수들은 짝수와 홀수가 반복된다
- ↘ 또는 ↙방향의 대각선으로 나열된 수들은 모두 짝수이거나 홀수이다.
- 맨 아랫줄에 배열된 수들은 오른쪽으로 1씩 증가한다.
- 맨 오른쪽 줄에 배열된 수들은 위쪽으로 1씩 증가한다.
- 맨 윗줄에 배열된 수들은 왼쪽으로 1씩 증가한다.
- 17을 지나며 ↗방향으로 나열된 수들은 모두 소수이다.

※ 유창성 [6점]

총체적 채점 기준	점수
다섯 가지를 서술한 경우	6점
네 가지를 서술한 경우	4점
세 가지를 서술한 경우	3점
두 가지를 서술한 경우	2점
한 가지를 구한 경우	1점

※ 독창성 및 융통성 [4점]

요소별 채점 기준	점수
수들이 나열된 규칙을 설명한 경우	2점
특별한 성질을 가진 수들에 대하여 설명한 경우	2점

[해설]

위 수 배열표는 가운데에서 17부터 시작해 시계 반대 방향 나선 모양 순서대로 수를 써 나간 것이다. 시작 수인 17을 지나는 한 대각선에는 소수만 배열된다.

예시답안

39

❶

- 소수와 다른 수와의 공배수는 그 주기가 길어 다른 주기를 가진 천적을 만날 확률을 줄일 수 있다.
- 소수의 생활주기를 가진 매미끼리 같이 성충이 되어 경쟁하는 경우를 최대한 피할 수 있다.

총체적 채점 기준	점수
소수의 특징을 이용해 두 가지 학설을 서술한 경우	5점
소수의 특징을 이용해 한 가지 학설을 서술한 경우	2점

❷ 360÷50=7.2이므로 소주를 소주잔에 가득 따르면 약 7잔 정도가 나온다. 7은 소수로 약수가 1과 7뿐인 수이다. 따라서 소주를 혼자 마시지 않는 한 7명이 1잔씩 마셔야 똑같이 나누어 마실 수 있고, 2명, 3명, 4명, 5명, 6명이 나누어 마실 때는 소주가 부족하거나 남는 상황이 발생할 수밖에 없다. 이 때문에 소주를 더 주문하게 되므로 판매량을 증가시킬 수 있다.

요소별 채점 기준	점수
소주의 용량에 소수가 활용된 이유를 서술한 경우	5점
소주의 용량과 소수 사이의 관계를 찾은 경우	5점

[해설]

❶ 소수는 1과 자기 자신만을 약수로 가진 수이다. 약수의 개수가 적다는 것은 다른 수와 공배수를 구할 때 그 주기가 길다는 것이고, 이것을 매미의 생존 본능으로 연관 지어 보았을 때, 천적을 피하거나 동족끼리의 경쟁을 최대한 줄이기 위한 진화의 결과임을 예상할 수 있다.

❷ 이와 반대되는 경우도 있다. 정을 나누는 초코 과자나 초콜릿의 경우 한 상자에 12개가 들어 있거나 12개로 나눌 수 있도록 포장되어 있다. 이것은 약수가 많은 12를 이용해 여러 사람이 똑같이 나누어 먹을 수 있도록 만든 배려이기도 하다.

예시답안

40

❶

• **풀이과정**

시속 100 km는 $\frac{100000\text{ m}}{3600\text{ s}}$ 이므로 초속 27.8 m이다.

Grooving 간격 = 27.8 m ÷ 392.6 = 약 0.070 m

• **답 :** 약 7 cm

요소별 채점 기준	점수
풀이과정을 바르게 서술한 경우	3점
답을 구한 경우	2점

❷

• 과속 단속 카메라 : 두 지점을 지나는 자동차의 빠르기를 계산하는 데 수학이 활용된다.
• 신호등 : 각 신호가 규칙적으로 바뀌고, 빨간색 정지 신호 전에 주황색 신호등을 먼저 들어오게 한다.
• 터널 입구의 높이 제한 표시 : 통과할 수 있는 차량의 높이는 길이 단위를 이용해 표시해 준다.
• 차선이탈 방지 장치 : 자동차가 차선을 이탈할 경우 자동차의 핸들을 틀어 자동차의 바퀴와 차선이 평행이 되도록 만들어 준다.
• 추돌 방지 장치 : 앞차와의 거리를 계산해 정해진 거리보다 가까워지면 자동으로 자동차의 속력을 줄이게 한다.

총체적 채점 기준	점수
한 가지 마다	2점

[해설]

❶ 시속 100 km의 길이 단위인 km를 m로 바꾸고 시간의 단위인 시를 초로 바꾸어 초속으로 계산한다. 초속 27.77777⋯이므로 약 27.8 m/s라고 할 수 있다.

❷ 교통사고를 방지할 수 있도록 고안된 다양한 도구나 장치들을 떠올려보고 그곳에 사용된 수학적 원리를 찾아본다. 가드레일, 타이어의 홈, 중앙분리대, 건널목, 인도 등과 같이 자동차와 보행자의 안전을 위해 만들어진 다양한 곳에서 수학적 원리를 찾을 수 있다.

문항 구성 및 채점표

평가영역 / 문항	수학 사고력		수학 창의성		수학 STEAM	
	개념 이해력	개념 응용력	유창성	독창성 및 융통성	문제 파악 능력	문제 해결 능력
41	점					
42	점					
43		점				
44		점				
45	점					
46			점			
47			점	점		
48			점	점		
49					점	점
50					점	점

평가영역별 점수	개념 이해력	개념 응용력	유창성	독창성 및 융통성	문제 파악 능력	문제 해결 능력
	수학 사고력		수학 창의성		수학 STEAM	
	/ 40점		/ 30점		/ 30점	

총점	

평가 결과에 따른 학습 방향

영역	점수	학습 방향
사고력	35점 이상	정확하게 답안을 작성하는 연습을 하세요.
	24~34점	교과 개념과 연관된 응용문제로 문제 적응력을 기르세요.
	23점 이하	틀린 문항과 관련된 교과 개념을 다시 공부하세요.
창의성	26점 이상	보다 독창성 및 융통성 있는 아이디어를 내는 연습을 하세요.
	18~25점	다양한 관점의 아이디어를 더 내는 연습을 하세요.
	17점 이하	적절한 아이디어를 더 내는 연습을 하세요.
STEAM	26점 이상	답안을 보다 구체적으로 작성하는 연습을 하세요.
	18~25점	문제 해결 방안의 아이디어를 다양하게 내는 연습을 하세요.
	17점 이하	실생활과 관련된 수학 기사로 수학적 사고를 확장하는 연습을 하세요.

모범답안

41

• **풀이과정**

3, 4, 8의 최소공배수는 24이므로 각각의 분수의 분자를 24로 바꾸면

$\frac{24}{64} \le \frac{24}{3n} \le \frac{24}{54}$이다.

따라서 조건을 만족하는 n은

$54 \le 3n \le 64$이므로 $18 \le n \le \frac{64}{3}$, $n=18, 19, 20, 21$이다.

• **답** : 18, 19, 20, 21

요소별 채점 기준	점수
풀이과정을 바르게 서술한 경우	6점
답을 구한 경우	2점

[해설]

분모가 다른 분수의 분모를 같게 만드는 것을 통분이라고 한다. 이 문제에서는 분수의 분모에 미지수가 있으므로 분자를 같게 만들어 분모를 비교한다. 분자가 서로 같은 분수는 분모가 작을수록 큰 값이므로 n의 조건인 $54 \le 3n \le 64$를 구할 수 있다.

모범답안

42

• **풀이과정**

점 B의 좌표를 $(a, 0)$이라고 하면, 점 A의 좌표는 $(a, 3a)$이다.

점 D는 $y=-\frac{1}{4}x+4$ 위의 점이므로 y에 $3a$를 대입하면

$3a=-\frac{1}{4}x+4$

$\frac{1}{4}x=-3a+4$

$x=-12a+16$

따라서 점 D의 좌표는 $(-12a+16, 3a)$이다.

이때, □ABCD는 정사각형이므로 $\overline{BC}=\overline{AB}$이므로

$-12a+16-a=3a$

$16a=16$

$\therefore a=1$

$a=1$이고, □ABCD는 한 변의 길이가 3인 정사각형이므로

□ABCD의 넓이는 $3 \times 3=9$이다.

• **답** : 9

요소별 채점 기준	점수
풀이과정을 바르게 서술한 경우	6점
답을 구한 경우	2점

[해설]

점 A는 $y=3x$ 위의 점, 점 D는 $y=-\frac{1}{4}x+4$ 위의 점이므로 각 점의 좌표를 함수식에 대입하면 식은 항상 성립한다. 각 점의 좌표를 a에 관한 식으로 만들고 □ABCD가 정사각형이라는 성질을 이용해 정사각형의 한 변의 길이를 구한다.

다음과 같은 방법으로 문제를 풀 수도 있다.

점 B의 좌표를 $(a,\ 0)$으로 하면 점 A의 좌표는 $y=3x$ 위의 점이므로 $(a,\ 3a)$가 된다.

AB의 길이는 $3a$이고 □ABCD는 정사각형이므로 점 D의 좌표는 $(3a+a,\ 3a)=(4a,\ 3a)$이다.

점 D는 $y=-\frac{1}{4}x+4$ 위의 점이므로 $3a=-\frac{1}{4}\times 4a+4$, $4a=4$, $a=1$이다.

따라서 $\overline{AB}$의 길이는 $3a=3$이므로 정사각형 ABCD의 넓이는 $3\times 3=9$이다.

모범답안

43

• **풀이과정**

$m(f(x),\ 5)=5$이므로 $f(x)=0,\ 1,\ 2,\ 3,\ 4,\ 5$이다.

$f(x)$는 자연수 x 이하의 소수 개수이므로

$f(1)=0,\ f(2)=1,\ f(3)=2,\ f(4)=3,\ f(5)=3,\ f(6)=3,\ f(7)=4,\ f(8)=4,\ f(9)=4,\ f(10)=4,$

$f(11)=5,\ f(12)=5,\ f(13)=6,\ \cdots$이다.

따라서 x의 값은 $1,\ 2,\ 3,\ 4,\ \cdots,\ 12$이므로

$1+2+3+\cdots+12=78$이다.

• **답** : 78

요소별 채점 기준	점수
풀이과정을 바르게 서술한 경우	6점
답을 구한 경우	2점

[해설]

두 수 a, b 중 작지 않은 수를 함수 $m(a,\ b)$라고 했을 때, $m(f(x),\ 5)=5$를 만족하게 하는 $f(x)$는 5보다 작거나 같은 수이어야 한다. 따라서 어떤 수보다 작은 소수의 개수가 5개 이하를 만족하는 수가 $f(x)$가 될 수 있는 수이다.

모범답안

• **풀이과정**

사다리를 올라가는 데 한 번에 한 칸 또는 두 칸을 올라갈 수 있다고 하였으므로 각 사다리의 칸을 올라가는 방법의 수를 구해보면 다음과 같다.

1칸을 올라가는 방법의 수 : 1가지

2칸을 올라가는 방법의 수 : 2가지 (1+1, 2)

3칸을 올라가는 방법의 수 : 3가지 (1+1+1, 1+2, 2+1)

4칸을 올라가는 방법의 수 : 5가지 (1+1+1+1, 1+1+2, 1+2+1, 2+1+1, 2+2)

5칸을 올라가는 방법의 수 : 8가지(1+1+1+1+1, 1+1+1+2, 1+1+2+1, 1+2+1+1, 2+1+1+1, 1+2+2, 2+2+1, 2+1+2)

⋮ ⋮

각 사다리의 칸을 올라가는 방법의 수를 구하여 그 결과를 나열해보면 1, 2, 3, 5, 8, 13, … 의 피보나치 수열을 이룬다.

주어진 사다리의 칸은 모두 15칸이므로 사다리의 끝까지 올라갈 수 있는 서로 다른 방법은 1, 2, 3, 5, 8, 13, 21, 34, 55, 89, 144, 233, 377, 610, 987, …이므로 987가지이다.

• **답** : 987가지

요소별 채점 기준	점수
풀이과정을 바르게 서술한 경우	6점
답을 구한 경우	2점

[해설]

수열은 규칙에 따라 나열된 수이다. 피보나치 수열은 앞의 두 수의 합이 바로 뒤의 수가 되는 수열이다. 이 수열을 처음 소개한 사람이 이탈리아 수학자 레오나르도 피보나치이므로 이 수열을 피보나치 수열이라고 부른다. 피보나치는 이집트, 시리아, 그리스, 시칠리아 등 여러 나라를 여행하며 발전된 수학을 익힌 후, 자신의 모든 수학적 지식을 담은 책을 출판했다. 특히 인도–아라비아 숫자를 유럽에 전파하여 수학의 발전에 큰 영향을 미쳤다. 피보나치 수열은 자연 속의 꽃잎의 수와 해바라기 씨앗의 개수와 일치하고, 앵무조개의 껍데기에서도 찾을 수 있다. 규칙성을 이용해 해결하는 다양한 수학 문제에 활용되므로 특징을 잘 알아두도록 한다.

45

• **풀이과정**

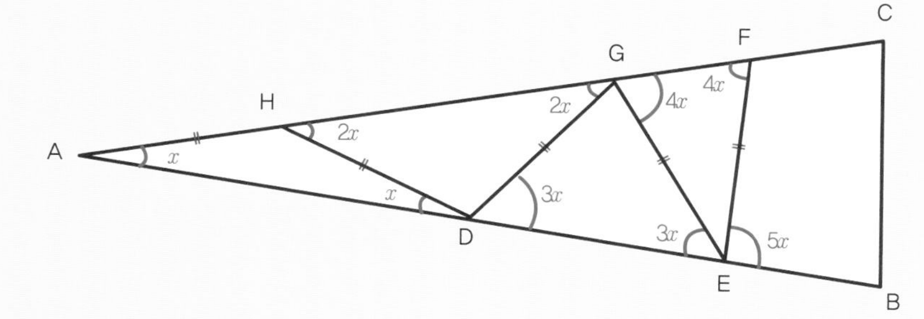

$\angle$BAC를 $\angle x$라고 하면

$\angle$HAD = $\angle$HDA = $\angle x$

$\angle$DHG = $\angle x$ + $\angle x$ = 2$\angle x$ = $\angle$DGH ($\because$ △ADH)

$\angle$GDE = $\angle x$ + 2$\angle x$ = 3$\angle x$ = $\angle$DEG ($\because$ △ADG)

$\angle$EGF = $\angle x$ + 3$\angle x$ = 4$\angle x$ = $\angle$EFG ($\because$ △AEG)

$\angle$FEB = $\angle x$ + 4$\angle x$ = 5$\angle x$이다. ($\because$ △AEF)

△EGF에서 4$\angle x$ + 4$\angle x$ < 180°이어야 하므로 $\angle x$ < 22.5°이다. ……㉠

문제 조건에서 다섯 번째 이등변삼각형은 만들 수 없다고 했으므로

$\angle$FEB ≥ 90°, 즉 5$\angle x$ ≥ 90°, $\angle x$ ≥ 18° ……㉡

따라서 ㉠, ㉡에 의하여 18° ≤ $\angle x$ < 22.5°이다.

• **답** : 18° ≤ $\angle$BAC < 22.5°

요소별 채점 기준	점수
풀이과정을 바르게 서술한 경우	6점
답을 구한 경우	2점

[해설]

삼각형의 한 외각의 크기는 이웃하지 않는 두 내각의 크기와 같다. 또 이등변삼각형은 두 변의 길이가 같은 삼각형이므로 두 밑각의 크기가 서로 같다. 또 삼각형의 두 내각의 크기의 합은 180°보다 작아야 삼각형이 될 수 있다. 이처럼 문제에서 주어진 조건과 삼각형의 성질을 이용하면 문제를 해결할 수 있다.

모범답안

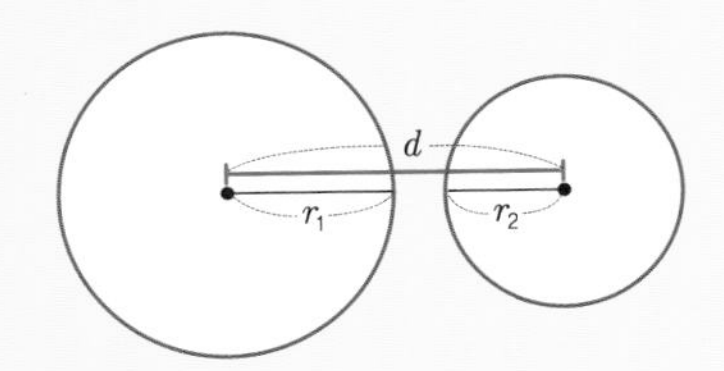

원 밖에서 서로 만나지 않는 경우 :

$d>r_1+r_2$

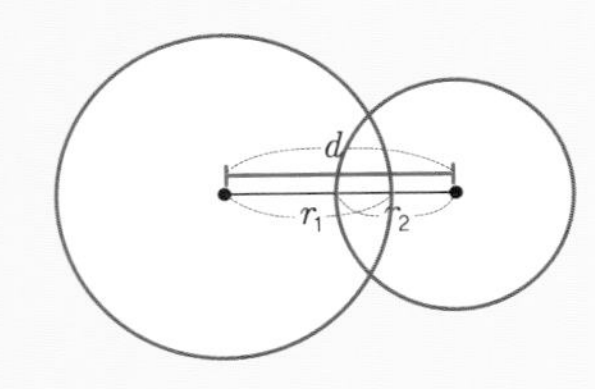

한 원이 다른 원 밖에서 서로 한 점에서 만나는 경우 :

$d=r_1+r_2$

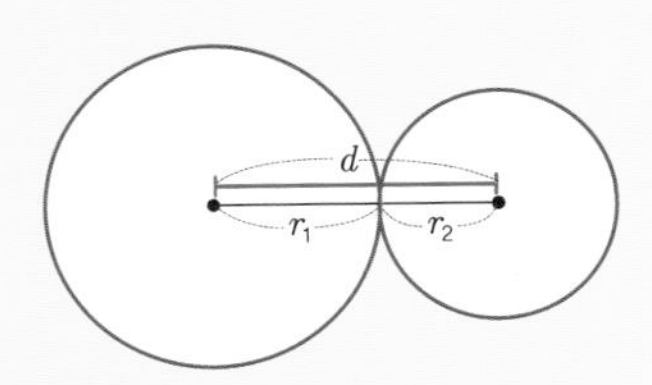

두 원이 두 점에서 만나는 경우 :

$r_1-r_2<d<r_1+r_2$

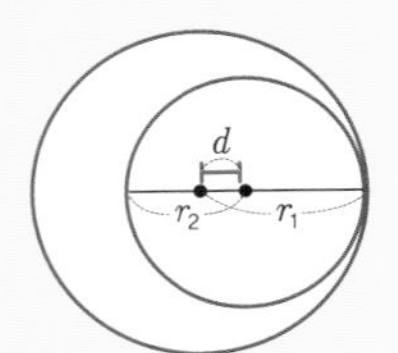

한 원이 다른 원 안에서 서로 한 점에서 만나는 경우 :

$d=r_1-r_2$

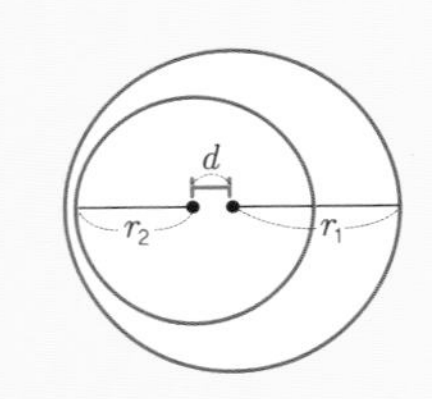

원 안에서 서로 만나지 않는 경우 :

$d<r_1-r_2$

※ 유창성 [10점]

총체적 채점 기준	점수
한 가지 마다	2점

[해설]

두 원의 반지름과 중심의 거리를 비교해보면 두 원의 위치관계는 모두 5가지가 존재한다. 두 원의 중심이 같은 동심원을 특별한 경우로 두는 방법도 있으나 동심원의 경우 원안에서 서로 만나지 않는 경우에 포함할 수 있다.

예시답안

47

- 사람의 몸은 좌우 대칭이다.
- 눈 2개가 떨어져 있어 보는 각도가 달라 원근을 구분할 수 있다.
- 두 귀는 양쪽에 있어 소리의 방향을 가늠할 수 있다.
- 대장의 융털, 모세 혈관, 폐의 폐포, 뇌의 주름 등은 표면적을 넓혀 효율을 높인다.
- 사람의 머리는 반구 모양으로 충격을 잘 견딜 수 있다.
- 사람의 몸은 세포로 빈틈없이 둘러싸여 있다. (테셀레이션)
- 사람의 몸은 원통형으로 체온 유지에 유리하다.
- 사람의 몸에서 상체와 하체의 비율과 같은 황금비를 찾을 수 있다.
- 관절과 근육에서 지레의 원리를 찾을 수 있다.
- 360°로 회전이 가능한 어깨나 허벅지(넓적다리 관절)의 관절은 구 모양이다

※ 유창성 [6점]

총체적 채점 기준	점수
10가지를 서술한 경우	6점
9~8가지를 서술한 경우	4점
7~6가지를 서술한 경우	3점
5~4가지를 서술한 경우	2점
3~1가지를 서술한 경우	1점

※ 독창성 및 융통성 [4점]

요소별 채점 기준	점수
효율성을 위한 수학적 원리를 서술한 경우	2점
충격을 견디기 위한 원리를 서술한 경우	2점

[해설]

사람의 몸에서 다양한 수학적 원리를 찾을 수 있다. 효율을 위해 수학적 원리가 사용된 것과 안전을 위해 사용된 것, 큰 힘을 내기 위해 사용된 것 등으로 나누어 볼 수 있다.

예시답안

48

- 출발점에서 5 km 지난 지점에서 출발하여 1시간에 12 km씩 이동했다면 x시간 후 출발점에서부터의 거리를 구하시오.
- 5 cm의 눈이 쌓인 지붕에 시간당 12 cm의 눈이 일정하게 내렸다. 눈이 녹지 않는다고 할 때, x시간 후 쌓인 눈은 몇 cm인지 구하시오.
- 5개의 구슬을 가지고 있는 주영이가 매일 12개씩의 구슬을 더 모은다고 할 때, x일 후에 주영이가 가지고 있는 구슬의 개수는 몇 개인지 구하시오.
- 하루에 12페이지씩 책을 x일 동안 보았더니 5페이지가 남았다. 책은 모두 몇 페이지인지 구하시오.
- 한 사람에게 12개씩의 사탕을 x명에게 나누어 주었더니 5개가 남았다. 가지고 있던 사탕의 개수를 구하시오.
- 재민이는 365개의 사탕을 같은 반 친구들에게 12개씩 나누어 주었더니 5개가 남았다. 재민이네 반 친구들은 몇 명인지 구하시오.
- 수조 A에 담긴 물 y L를 12 L 물통으로 퍼서 수조 B로 옮겨 담으려고 한다. 수조 A에 5 L의 물만 남겨두고 다 옮긴다면 몇 번 옮겨야 하는지 구하시오.

※ 유창성 [6점]

총체적 채점 기준	점수
다섯 가지 문제를 만든 경우	6점
네 가지 문제를 만든 경우	4점
세 가지 문제를 만든 경우	3점
두 가지 문제를 만든 경우	2점
한 가지 문제를 만든 경우	1점

※ 독창성 및 융통성 [4점]

요소별 채점 기준	점수
y가 답인 문제를 만든 경우	2점
x가 답인 문제를 만든 경우	2점

[해설]
함수식을 활용하여 해결할 수 있는 문제를 생각해 본다. 주어진 식은 x에 12가 곱해진 식으로 x의 값이 증가하면 y의 값이 증가하는 정비례 관계이다. x의 값이 변화함에 따라 y의 값이 달라지는 함수이므로 미지수 y나 x를 구하는 다양한 문제를 만들 수 있다. 다섯 가지 문제를 만들어야 하므로, y의 값이 답인 문제, x의 값이 답인 문제 등 다양하게 만드는 것이 좋다.

예시답안

49

❶

• **풀이과정**

비닐하우스에 쌓인 눈의 양을 시간 x에 대한 식으로 만들면 $12x+5-3x$이다.

이 비닐하우스는 50 cm의 눈이 와도 견딜 수 있다고 했으므로

$12x+5-3x \le 50$로 부등식을 세울 수 있다.

$9x+5 \le 50$

$9x \le 45$

$x \le 5$

• **답** : 5시간 이하 또는 5시간까지 버틸 수 있다.

요소별 채점 기준	점수
풀이과정을 바르게 서술한 경우	3점
답을 구한 경우	2점

❷

• 더 큰 힘에도 견딜 수 있도록 비닐하우스의 폭을 좁게 만든다.
• 비닐하우스에 눈이 쌓이지 못하도록 지붕의 경사를 아주 심하게 만든다.
• 비닐하우스의 모양을 반원 모양이 아니라 뾰족한 이등변삼각형 모양으로 만든다.
• 비닐하우스를 지지하는 뼈대에 뜨거운 물이 순환할 수 있도록 하여 눈을 녹인다.
• 비닐하우스 바깥쪽을 움직이며 눈을 쓸어내리는 장치를 만든다.
• 비닐하우스를 진동시켜 눈이 쌓이지 못하도록 한다.
• 비닐하우스의 지붕이 무너지려면 비닐하우스가 양쪽으로 벌어져야 하므로 비닐하우스가 양쪽으로 벌어지지 않도록 단단히 고정한다.
• 비닐하우스의 안쪽 가장 높은 부분을 따라 비닐하우스를 지탱할 수 있는 기둥을 세운다.
• 비닐하우스의 지붕에 바람이 부는 장치를 만들어 눈이 쌓이지 못하도록 한다.
• 비닐하우스의 지붕에 열선을 설치한다.
• 덤프트럭 덮개처럼 장치하여 소량의 눈이 쌓일 때 자동으로 수직으로 세워 눈을 떨어뜨리고 다시 덮어 눈이 쌓이는 것을 방지한다.

총체적 채점 기준	점수
한 가지 마다	1점

[해설]
❶ 시간에 따라 비닐하우스에 쌓인 눈의 양이 증가하기 때문에 시간을 x로 두고 식을 세우도록 한다. 비닐하우스는 50 cm까지 쌓인 눈을 버틸 수 있으므로 이를 이용해 부등식을 완성할 수 있다. x의 값을 구해 비닐하우스가 버틸 수 있는 시간을 구한다. 식을 세울 때, 부등호 방향에 주의한다.
❷ 비닐하우스에 눈이 쌓이지 못하도록 하는 다양한 아이디어를 생각해 본다. 기존 비닐하우스의 모양을 보완하는 방법도 있고, 다른 장비나 기구를 이용해 눈이 쌓이지 않도록 하는 방법도 있다.

예시답안

50

❶

• 넓은 지역의 수많은 인파를 정확하게 셀 수 없기 때문이다.
• 정확하지는 않지만, 인파를 대략적인 수로 표현하면 누구든 어느 정도의 인파인지 예상할 수 있기 때문이다.

총체적 채점 기준	점수
두 가지 이유를 쓴 경우	5점
한 가지 이유를 쓴 경우	2점

❷

• **주제**

-오늘 하루 팔린 자장면은 모두 몇 그릇일까?
-한라산에 있는 나무는 모두 몇 그루일까?
-오늘 하루 서울 시민들이 사용한 화장지의 길이는 얼마일까?
-학교 운동장을 축구공으로 가득 채운다면 몇 개의 공이 필요할까?
-오늘 하루 서울에서 판매된 콜라는 모두 몇 병일까?
-우리나라에는 15층 이상 건물이 몇 개나 있을까?
-서울시의 주유소는 모두 몇 개일까?
-서울시에 필요한 적정 미용사 수는 몇 명일까?
-서울시에는 치킨집이 몇 개나 있을까?
-한강을 흐르는 물의 양을 얼마나 될까?
-바닷속에는 얼마나 많은 물고기가 있을까?

• **해결**

오늘 하루 서울 시민들이 사용한 화장지의 길이는 얼마일까?
한 사람이 하루에 사용하는 화장지의 평균 길이를 조사한다.
남자는 하루에 6 m, 여자는 하루에 14 m를 사용한다고 가정하면
남자와 여자의 평균은 10 m이다. 서울시 인구를 140만 명이라고 가정하면
1400000×10 m=14000000 m=14000 km이다.

총체적 채점 기준	점수
다섯 가지 주제를 서술한 경우	5점
네 가지 주제를 서술한 경우	4점
세 가지 주제를 서술한 경우	3점
두 가지 주제를 서술한 경우	2점
한 가지 주제를 서술한 경우	1점
주제를 해결하기 위한 요소를 바르게 서술한 경우	2점
수학적 오류가 없는 추정을 한 경우	3점

[해설]

❶ 인파의 정확한 수를 알 수 없으므로 대략적인 수로 표현한다. 하지만 더 큰 이유는 어떤 사실을 수학적으로 표현하였을 때 그 자료가 더 높은 신뢰도를 가지기 때문이다. '매우 많다'는 사람마다 기준이 다르므로 어느 정도인지 가늠할 수 없지만 '10만 명'은 모든 사람이 같은 정도로 받아들이므로 어떠한 사실을 전달할 때 효과적이다.

❷ 페르미 추정법은 노벨상 수상자인 이탈리아의 과학자 엔리코 페르미의 이름을 딴 것으로, 지적 호기심과 창의적이고 논리적인 사고를 통해 어떤 문제에 대하여 기초적인 지식과 논리적인 추론만으로 짧은 시간 안에 대략적인 결과를 추정하는 방법이다.

안쌤의
창의적 문제해결력 시리즈

초등 1~2 학년

초등 3~4 학년

초등 5~6 학년

중등 1~2 학년

안쌤의
창의적 문제해결력 시리즈

초등 1~2 학년

초등 3~4 학년

초등 5~6 학년

중등 1~2 학년

영재교육원 영재학급 관찰추천제 대비
5일 완성 프로젝트
파이널
안쌤의 창의적 문제해결력
수학 50제
초등 1~2 학년

영재교육원 영재학급 관찰추천제 대비
5일 완성 프로젝트
파이널
안쌤의 창의적 문제해결력
수학 50제
초등 3~4 학년

영재교육원 영재학급 관찰추천제 대비
5일 완성 프로젝트
파이널
안쌤의 창의적 문제해결력
수학 50제
초등 5~6 학년

영재교육원 영재학급 관찰추천제 대비
5일 완성 프로젝트
파이널
안쌤의 창의적 문제해결력
수학 50제
중등 1~2 학년

안쌤의 창의적 **문제해결력 시리즈**

초등 1·2학년
안쌤의 창의적 문제해결력 수학 1·2학년
안쌤의 창의적 문제해결력 과학 1·2학년
안쌤의 창의적 문제해결력 파이널 수학 50제 1·2학년
안쌤의 창의적 문제해결력 파이널 과학 50제 1·2학년
안쌤의 창의적 문제해결력 모의고사 1·2학년 (수학·과학 공통)

초등 3·4학년
안쌤의 창의적 문제해결력 수학 3·4학년
안쌤의 창의적 문제해결력 과학 3·4학년
안쌤의 창의적 문제해결력 파이널 수학 50제 3·4학년
안쌤의 창의적 문제해결력 파이널 과학 50제 3·4학년
안쌤의 창의적 문제해결력 모의고사 3·4학년 (수학·과학 공통)

초등 5·6학년
안쌤의 창의적 문제해결력 수학 5·6학년
안쌤의 창의적 문제해결력 과학 5·6학년
안쌤의 창의적 문제해결력 파이널 수학 50제 5·6학년
안쌤의 창의적 문제해결력 파이널 과학 50제 5·6학년
안쌤의 창의적 문제해결력 모의고사 5·6학년 (수학·과학 공통)

중등 1·2학년
안쌤의 창의적 문제해결력 파이널 수학 50제 중등 1·2학년
안쌤의 창의적 문제해결력 파이널 과학 50제 중등 1·2학년
안쌤의 창의적 문제해결력 모의고사 중등 1·2학년 (수학·과학 공통)

매스티안
펴낸곳 타임교육C&P **펴낸이** 이길호
지은이 안쌤 영재교육연구소 (안재범, 최은화, 유나영, 이상호, 추진희, 오아린, 허재이, 이민숙, 이나연, 김혜진, 김샛별)
주소 서울특별시 강남구 봉은사로 442 **연락처** 1588-6066

팩토카페 http://cafe.naver.com/factos
안쌤카페 http://cafe.naver.com/xmrahrrhrhghkr

자율안전확인신고필증번호: B361H200-4001
1.주소: 06153 서울특별시 강남구 봉은사로 442
2.문의전화: 1588-6066
3.제조년월: 2020년 12월
4.제조국: 대한민국
5.사용연령: 8세 이상
※ KC마크는 이 제품이 공통안전기준에 적합하였음을 의미합니다.

안쌤의
줄기과학 시리즈

새 교육과정
3~4학년
학기별
STEAM 과학

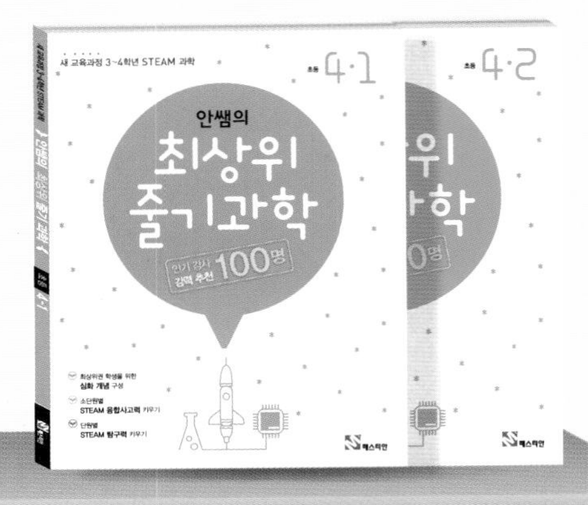

3-1 8강 3-2 8강 4-1 8강 4-2 8강

새 교육과정
5~6학년
학기별
STEAM 과학

5-1 8강 5-2 8강 6-1 8강 6-2 8강

새 교육과정
중등 영역별
STEAM 과학

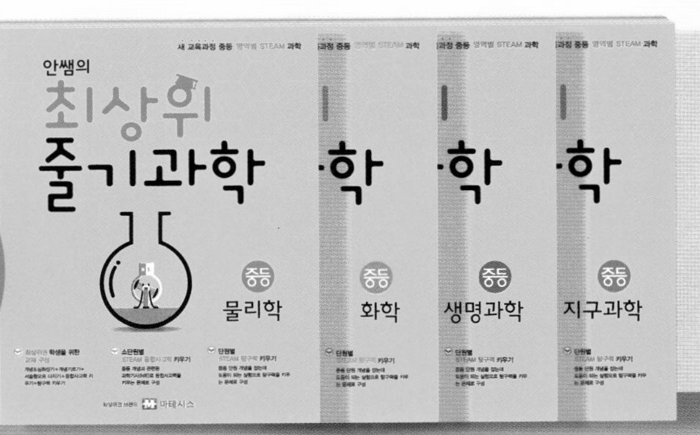

물리학 24강 화학 16강 생명과학 16강 지구과학 16강 물리학 워크북 화학 워크북